22 南宋
西元1127～1276年

［注音本］

全新 吳姐姐講歷史故事

吳涵碧◎著

目錄

【第486篇】

金兀朮敗走黃天蕩。

金朝大將金兀朮搜山檢海以後，渡江北歸，半途殺出一個程咬金，原來宋將韓世忠正駐兵鎮江一帶，雙方發生激戰，韓世忠曾一度擊敗金兀朮於黃天蕩，韓夫人梁紅玉也擊鼓助戰，雙方在江面之上，僵持有一個月之久。

金兀朮無計可施，要求面對面來一個韓、金對談。韓世忠也答應了，挑了一個日子，雙方主帥大座舟迎面緩緩駛來，由遠而近，到了能夠互相大聲說話的距離，彼此都拋下了錨。

金兀朮虎落平陽，首先站在船頭，用極爲懇切的語氣哀求韓世忠：『乞放回國，要求和好，永無侵犯！』

韓世忠拉開了嗓門，大聲回話：『這也不難，只要你交還二帝，復舊疆土就夠了！』說著，一向海量的韓世忠拿一瓶鑲金的酒瓶，咕嚕咕嚕喝了幾口，抹一抹嘴，再把金酒瓶傳給手下暢飲，金兀朮見韓世忠好整以暇，從容不迫，更加地沮喪。

雙方既然話不投機，各自拔起了錨，揚長而去。

過了幾天，金兀朮又要求與韓世忠見面，這一回，金兀朮要求雙方上了岸談話。兩人步上岸邊後，金兀朮勸告韓世忠，韓兵不過八千，金兵有

數萬之衆，如此耗下去，準是宋軍不利，韓世忠不如早早投降，有功於金朝。

韓世忠聽了，火冒三丈，立刻張弓搭箭，對準金兀朮射去，嚇得金兀朮急忙閃避，揚帆鼓棹，逃回陣營。

金兀朮氣急敗壞回到營中，這下他更認清，韓世忠對宋朝忠心耿耿，一如其名，絕不會放金兀朮一馬的。

『莫非，我軍就死在這兒，內無糧草，外無救兵，又出不得此江。』金兀朮憂悶已極，對著軍師發牢騷。

軍師想了半天，忽然一敲腦袋：『有了，重賞之下必有勇夫，不如張掛榜文，若是有能解此圍者，賞以千金。』

金兀朮在無計可施的情況下，也就答應了，榜文貼出以後，過了許久，都沒有人上門應募，鎮江的一般民眾看了之後，多半聳聳肩，嗤之以鼻。但是，又過了幾天，竟然來了一個福建的王姓秀才，利慾薰心，看在孔方兄份上，願意當漢奸，他撕下榜文，自稱有破韓軍的錦囊妙計，金兀朮大喜，連忙待之以上賓之禮。

這個王秀才坐下來，慢條斯理的分析道：『行兵打仗，小生有所不能，若要出黃天蕩，何難之有？』

金兀朮眉毛一挑道：『望先生教我，若能脫身回國，不但贈以千金，願與先生共享富貴。』

王秀才說：『黃天蕩有一條支流，名為老鸛河，可通建康的秦淮河，但是淤塞已久，何不命令軍士興工開挖，掘走泥沙，引秦淮水通河，可直達建康大路也！』

金兀朮聞之大喜，心忖，這個錢是花對了，若非高人指點，北來之人，哪兒曉得有什麼老鸛河。

另外，王秀才又教了金兀朮一招：『太子元帥只知在陸上縱橫千里，對於海上用兵，不及我們南方人懂得氣候風向；韓世忠麾下的兵船都是大型戰艦，上面有兵、有馬、有家屬、有輜重，遇風才能揚帆行駛，元帥欲破韓軍，可以製造小舟，風息之日出動，用火箭射韓軍的大戰艦，艦上的布帆一著火，當可燒個片甲不留。』

金兀朮大喜過望，連忙徵發民夫數萬人，與金兵一塊兒動手，一日一夜之間，竟然就把淤塞的老鸛河疏通了，然後，又大規模地拆民家大門，用木板趕製小舟，準備風平浪靜時出動。

韓世忠正在奇怪，金兀朮此番歸去以後，竟然無聲無息。忽然，在一個風平浪靜的日子裡，金兀朮發動攻勢，金兵的輕舟飛快地駛來，箭如雨下，每一支箭鏃之上都綁著火種，如蝗蟲一般撲向韓軍的大戰艦。布帆著了火，不一會兒工夫，烈燄衝天，全軍一片混亂，人們大驚小叫，馬兒高聲嘶叫，焚死、溺死的不計其數。

金兀朮就趁著亂成一團的時刻，利用老鸛河的舊有河道，逃出黃天蕩。

前前後後算起來，金兀朮一共在黃天蕩被困四十八天，這次黃天蕩之役，宋史與金史的記載出入甚大，這也是必然之事，宋朝一直挨打，難得有一場漂亮的勝仗，怎可以不多多發揮，誇大渲染一番，至於金人也會揀對自己有利的記載。不過，最後仍爲金人得勝。

金兀朮春風得意馬蹄輕，心情愉快極了，一路安全地撤退到建康。到了建康之後，金兀朮暫時停留下來，他派兵修築金城、雨花臺及建康四周圍的城壕、溝渠，表面上看起來，他至少要逗留建康一陣子，事實上，此乃金兀朮的障眼法，他還是急急忙忙想早些撤兵過江，他不願意讓宋朝軍隊看出來。

這時，建康的外城是岳飛的兵馬，岳飛如今是受張俊指揮，由於岳飛不是張俊自己身邊的部隊，所以張俊派岳飛打頭陣，也就是說，如果打了勝仗，張俊可以邀功行賞，萬一吃了敗仗，張俊也沒有損失，張俊爲自己的聰明而洋洋自得。

但是，岳飛是不會計較這些的，只要報國的機會，他總是樂於効命的。

兩雄會面，又當如何？

閱讀心得

【第487篇】

岳飛光復建康。

話說金兀朮得到無聊讀書人王秀才的指點，解除了黃天蕩之危，安安穩穩自老鸛河撤往建康。這時建康外圍是岳家軍駐守，金兀朮過去吃過岳飛的小虧，但是，一點兒兵馬，還不在金兀朮的眼中。

此刻，岳飛的威名已逐漸建立起來了，尤其在建炎四年四月裡，宋朝水軍統制郭吉忽然改行，當了強盜，叛變爲寇，圍困宜興，宜興的縣令大爲恐慌，寫信給岳飛請求援助。

岳飛立刻派出大將王貴、傅慶前往太湖一帶，把叛軍殺得天昏地暗，輕輕鬆鬆解決了郭吉的騷亂，並且收編叛軍的隊伍，岳家軍又向前邁進了一大步。

宜興的百姓感激涕零，無以爲報，再加上岳家軍素來軍紀嚴整，不願接受招待，最後滿腔熱情的民眾竟畫了岳飛的像，立了生祠，早晚上香朝拜，而且口中唸唸有詞：『生我們的是父母，保護我們的是岳公。』

五月間，金兀朮的軍隊開到了建康，他預備早日過江，回家度假，這一趟南征，雖然收穫不少，卻也實在累慘了。

岳飛得到軍報，心中暗暗立誓，他絕不能坐視金兀朮席捲江南以後，拍拍屁股，一走了事。於是，岳飛埋伏了兩路兵馬，一在牛頭山，一在靜

安鎮，這兩條路都是金兵撤退的必經之路。

金兀朮在建康又是依照舊例，把整個政府府庫、民間財物一網打盡，搜括得清潔溜溜，用成群的騾馬，載運著金銀珍寶、綾羅綢緞、糧草輜重，浩浩蕩蕩開出建康城。然後，金兀朮一聲令下，頃刻之間，建康城中一片火海，烈燄衝天，城中已成爲黑洞洞的火窟了，眞是覆巢之下無完卵。

埋伏在牛頭山上的岳家軍，眼中遠遠望見城中火紅的一片，耳中不斷聽到直上雲霄的哀鳴，一個個心如刀割，怒由心生，等到在山頂上發現金兵滿載著輜重的騾馬正魚貫的通過山腳，恨不得立刻衝下山去，殺他一個痛快，若非岳飛早有指示，天黑之前不許行動，否則，早有熬他不住的士兵找金人報仇去了。

盼望著，盼望著，終於太陽西沉，大地籠罩在一片黑幕之中，只見山下曲折蜿蜒著一條明晃晃的長蛇，襯著漆黑的天空，漂亮極了，原來這是金兵前進，手中提著的燈籠火把連接而成。

一直到三更已過，岳飛一聲令下，剎那之間，久候多時的伏兵齊聲呼嘯，飛也似地衝下去。金兵連夜趕路，過了半夜，已有些兒迷迷糊糊，有的乾脆半瞇著眼睛，只是拖著兩條腿往前挪動，這會兒，忽然殺出了伏兵，而且都穿著一身夜行的黑衣，放眼望去，到處都是黑漆漆的，人在哪兒都搞不清楚。

於是，還來不及揉揉眼睛看個仔細的金兵，混亂之中，自己人殺自己人，自相攻殺，馱運的金銀財寶也不要了，只恨爹娘少生了兩條腿，各自逃命去也。岳家軍憋了一天的悶氣，總算可以發洩了，直殺得天動地搖，鎚打槍挑刀砍，金兵屍如山積，到了黎明清點戰果，金兵留下來的糧食足夠岳軍使用半年。

接著，岳飛得到密報，金兀朮在龍灣的總部，即將開拔，岳飛又領著兵馬由牛頭山奔馳過來追殺，以三百名騎兵，三千名步兵把龍灣總部層層包圍，雖然金兀朮溜走了，但是金兵落水的、被殺的、投降的，不計其數，金兵死傷近萬。

至於留在靜安鎮的岳家軍也不甘示弱，在清水亭與金兵展開激戰，戰線綿延十五里，經過幾天幾夜的火併，十五里的戰火線上，金兵屍體無數，單單割下來光禿禿頭顱之中，戴有金耳環的金軍大將，清點一下，就有一百七十個之多。

前前後後牛頭山、龍灣、清水亭三場猛烈的戰役打下來，金兀朮暗暗吃驚，原來岳飛這個後生小子的威力，不在老將韓世忠之下，宋朝畢竟不是完全沒有人才。於是，金兀朮再也不敢放心大膽地留在江南，甚且連原先打算留駐江南作爲屏障的部隊，也全部撤兵，大江南北連一個金兵也看不見了。

岳飛以勝利之師重臨建康，他舉目回顧，一片瘡痍，處處都有放聲啼哭，找不到媽媽的孤兒，以及表情木然，不知所措的災民。岳飛心裡好難受，他打起精神，積極地辦理善後，修繕城池，賑濟災民，發放撫卹金，並且操練兵馬，儲備糧食，又上書朝廷，說明建康爲軍事要地，必須派兵駐守。

回想到四年之前，宋高宗剛剛即位，岳飛眼看著高宗對忠臣李綱並不信任，也沒有恢復中原的打算，忍不住上書朝廷，岳飛的奏章大義凜然，恰好尖銳地刺痛了高宗的痛處，高宗惱羞成怒，又沒法駁斥岳飛的議論，便以『小臣越職，妄言國事』爲名，撤除岳飛秉義郎的官職，趕出南京，岳飛無處可去，才前往河北，投奔張所。

這一會兒，岳飛搖身一變，官居統制，並且成爲光復建康的有功名將了，他這次上書朝廷，要求派兵防守建康，高宗自然龍顏大悅，一切照准了。

閱讀心得

【第488篇】

岳雲小將上戰場。

岳飛收復建康這一仗，打得眞是漂亮極了，逼得金兀朮遠走淮西。建康光復以後，高宗皇帝結束了東奔西跑的逃命生涯，回到越州（紹興），次年改元紹興。對岳飛十分的嘉許，賞賜鐵鎧、金帶鞍馬、鍍金槍、百花袍等。

岳飛收復建康，班師回到溧陽之時，忽然得到一則密報，說是岳飛手下劉經起了二心，意圖殺光岳飛在宜興的家屬。

岳飛大吃一驚，他連忙派姚政趕赴宜興，見機行事，姚政假裝是岳母得到岳飛家書，請劉經過來一敘，劉經不知就裡，即刻前往，半途之中被伏兵就地正法。

劉經的部下，個個心驚膽戰，因為他們大多數忠心耿耿，並沒有意思跟劉經叛變，正在此時，岳飛快馬加鞭，兼程趕回，岳飛一向明理，他好言好語地安慰劉經部下：『別擔心，有罪當斬，無故絕不牽連。』

約莫在這個時刻，大家所熟悉的岳飛之子岳雲也在宜興從軍。

在《說岳》小說第四十回中，描寫十二歲的調皮的岳雲背母從軍，而且曾經在夢裡遇到一位青臉紅鬚、面貌威武的老將軍，教了岳雲一手『落地銀光滿地打，漫天雷電蓋天靈，凜凜飛霜遮白雪，凜凜急雨撒寒冰』流

星趕月的好槌法，後來，這位臂力過人的小將軍憑著一身武藝，救出鞏家莊之中，差點兒當了壓寨夫人的鞏家小女，年方十四歲，兩人成就了一樁好姻緣。

小說戲劇之中，把這位『披了衣甲，提了雙槌，坐上戰馬』豪氣干雲的小將軍描寫得神龍活現、十分可愛討人歡喜。有人誤以爲岳雲是岳飛的養子，其實他是岳飛親生的兒子，而且果眞是十二歲年紀，差不多像今天國小五、六年級小朋友般大就効命沙場了，事實上岳飛當時也只有二十八歲，但是小英雄是否英雄救美，把小姊姊自土匪窩中救出來？便不得而知，岳雲的妻子也確是姓鞏，他十二歲從軍顯然是經過家中同意，不是偷偷摸摸的。

岳飛因爲作戰有功，高宗封以通、泰州鎮撫使，然而一心爲國爲民的岳飛，卻不想升官發財，他反而『傻裡傻氣』地奏上一本，自請調防淮南，爲了避免猜忌心重的高宗誤以爲他擁兵自重，別有用意，岳飛甚且願意以在宜興的母親妻子當人質。

正在此刻，楚州（現在江蘇淮安）告警，朝廷派張俊去救援，張俊是無論如何，不敢前往。接著，朝廷又改派劉光世，劉光世也是當定了縮頭烏龜，於是，只有派不怕死的岳飛去了。

岳飛立刻在承州打了場勝仗，但以他兩萬的兵力，實在不足抵擋號稱三十萬的金兵，他屢次要求張俊、劉光世支援，但也只是象徵性的意思意思。

張俊是強盜出身，擅長騎射，因爲攻打南蠻有功，擔任指揮使，逐漸竄爲承信郎、武德郎，他體格英偉，宋高宗一見便喜，升爲元帥府後軍統制，除了會使槍弄棍，張俊也挺會拍馬屁，靖康之難，汴京城破，二帝被俘，張俊就率先對高宗說：『不早正大位，無以符合天下人願望。』

張俊的部隊被稱爲『花腿軍』，因爲他挑選健壯士卒加入部隊以後，惟恐士兵逃跑，將士兵從手到脚全身刺滿了花紋，部將都恨死他了，他又不好好打仗，老是強迫士兵們充當建築工人，爲他日夜趕工，營造了一座太平樓。

花腿軍弟兄們看不過去，作了一首歌謠諷刺張俊『張家寨裡沒來由，使他花腿抬石頭，二聖（指徽欽二帝）獨自救不得，蓋起太平樓。』因爲大家嫌惡張俊的爲人，戲稱他爲張鐵臉，以有別正直光明的韓銅臉（韓世忠）。

比起張俊的強盜出身，劉光世可是顯顯赫赫的將門之後，劉光世的父親劉延慶原爲耀州觀察使，靖康年間在京城遭到圍困，他帶著侍妾張氏同行，逃了十餘里，金兵追上，劉延慶不願投降受辱，他先殺了張氏然後自縊殉國，因爲有祖上餘蔭，劉光世得以補贈太師。

張俊與劉光世不但膽小如鼠，而且不識大體，他兩人雖同爲國家重臣，卻互相傾軋、互相排擠，甚且有你看著我被敵人打垮，我巴不得你被人消滅的心理，非但不伸出援手，而且幸災樂禍，當然，對於岳飛苦苦哀求更是置之不理，無怪乎岳飛有句名言『文官不愛錢，武官不怕死，天下可太平。』

岳飛孤掌難鳴，最後只有退保江南，但是，他還是設法穩住了泰州的局勢，當泰州城中缺糧的消息傳出之後，蠢蠢欲動的金兵發動猛烈攻勢，岳飛急中生智，他下令：『搜集煮飯的鍋巴。』兵士們不曉得岳飛要鍋巴幹什麼，把盛來焦焦黃黃的硬鍋巴堆成約有十來丈高的土墩。

鍋巴的香味誘來了成群的麻雀啄食，因此，泰州城外，散落了滿地的飯粒，泰州缺糧之說不攻自破，這個土墩後來稱之爲岳墩，也成爲泰縣有名的六景之一——泰岱煙嵐。

閱讀心得

【第489篇】杜充的皇帝夢。

話說岳飛奉詔救援楚州，救得相當辛苦又徒勞無功，因爲大將劉光世、張俊都膽小如鼠，根本不敢與金兵相抗，又一心一意保全實力，不願意損兵折將。岳飛一個人孤掌難鳴，苦撐不下去了，以不足兩萬人的兵力，如何能夠抵擋號稱三十萬大軍的金兵？岳飛全盤考慮了許久，與其眼前壯烈犧牲，全軍覆沒，不如退保江南，伺機捲土重來。

於是，岳飛把整個江北作戰的敵我走勢繪成一張圖表，呈獻給宋高宗，高宗批示：『可守則守，不可守，但以沙州保護百姓，伺便掩擊。』

岳飛遂迅速將通泰百姓，平平安安自沙州渡過長江，岳飛只用了三百名驍勇的騎兵殿後，確保民衆的安全，竟然嚇得三十萬金兵不敢進犯，由此可見岳家軍三個字眞是響叮噹了。

岳飛退到江陰之後，雖然此次撤守責任不在他，而是劉光世、張俊臨陣畏懼，岳飛還是恭恭敬敬上了一個奏章請罪，高宗下詔書慰勉他，並且派他駐防江陰。岳飛就在江陰待了一段時日。

金兀朮領教了韓世忠、岳飛的厲害之後，心有餘悸的回到北方。金朝朝廷檢討攻討江南事件，一致認爲開疆拓土的政策絕對有修改的必要，因爲宋朝幅員太大，不容易一口氣吞下，平白犧牲了許多金人的血肉。不如

還是沿用以華制華的老法子，把張邦昌傀儡皇帝的舊戲，再換湯不換藥，搬出來重新上演一回。

舊戲新演的策略已定，金朝開始積極物色新的主角人選。當初金兀朮攻克建康之時，曾經屬意杜充。大家還記得杜充嗎？就是那個宗澤死後，朝廷任命接棒的庸才，岳飛曾經隸屬杜充麾下，不曉得受了多少窩囊氣。後來，金人要攻打建康，用要找杜充當皇帝爲餌，杜充立刻心花怒放朶朶開，迫不及待投降金人，岳飛可不願意跟著杜充屈辱受降，他帶領了一批忠肝義膽的弟兄們，組織了岳家軍，離開杜充。

杜充把建康府庫打開呈獻給金人之後，一心一意巴望著早日飾演皇帝的角色，雖然他明明知道這是個傀儡皇帝，由金人在幕後操縱著手脚的木偶，但總可以嘗嘗君臨天下的滋味。可是金人對杜充左看看，右瞧瞧，仔仔細細端詳了老半天，愈研究愈發現杜充望之不似人君，哪裡是一塊可以扮演皇帝的材料嘛，於是，此議作罷，杜充的美夢也泡了湯。

金將粘罕原是個有見地的人，他南征路過曲阜，對孔子廟恭恭敬敬，因爲聽説孔子是古代大聖人，對杜充嘛，他可是打心眼裡鄙薄其作爲，所以，杜充歸降金朝之後，不但皇帝寶座沒有撈到，還坐了半天的冷板凳，方才外放相州，杜充心中的失意不滿也就可想而知了。

杜充本來就是一個性情暴虐，非常不好相處的人，如今，帶著一肚子的悶氣上任，當然，與他共事的同僚也就愈發倒楣了。

其中有一個部下胡景山對杜充更是恨之入骨，他爲了報仇，向金朝奏上一本，誣指杜充私下裡暗通宋朝。粘罕立刻下令，大刑伺候，搬出了炮烙之刑，所謂的炮烙之刑，是用燒紅的鐵柱灼燙身體的一種極爲殘酷的刑罰，杜充被燒得不斷嗤嗤叫，卻怎麼也不肯承認私通宋朝的罪名。

事實上，這倒也眞是冤枉杜充了，想他背節投金，宋朝朝野一致譴責，宋高宗一向信任杜充，氣得屢次詢問群臣：『奇怪，朕待杜充不薄，他爲什麼要這麼做？』

群臣也只有低下頭，訥訥不敢言，在這種情況之下，杜充根本沒有回去的本錢，其中的道理，粘罕豈會不明白，他只是一向討厭杜充，逮住機會整他罷了。

所以，當金朝獄卒回報問不出口供，粘罕也就不再深究，他把杜充喚到面前，睥睨地看著杜充：『你是不是想要復歸南朝？』

杜充按著陣陣作痛的傷口，萬般無奈地說：『元帥敢歸，充不敢也。』

粘罕見杜充一副小丑一般討饒的可憐模樣，忍不住好笑，也就放他一馬了。

既然杜充不堪大任，金朝只有另起爐灶，重新物色人選了。依金朝的意思，這個傀儡皇帝最好具有李綱、宗澤這般的威望，才可以混淆中國人的耳目，宗澤已經去世了，李綱雖然健在，但他那種剛烈不屈的性格，怎麼會願意為金人作爪牙，不用自討沒趣了。

但是，假如金朝換了一個名不見經傳，沒沒無聞的普通百姓演皇帝，這樣的傀儡政權不要也罷。想來想去，金人想出一個妙法，中國人一向注重家世門第，假如能找到北宋初期折家、劉家、楊家、种家之後代，應該可以有一些號召作用。

譬如北宋初年，攻打西夏很有名的折可適、折可行的後代折可求，已在河東投降金朝，譬如在濟南投降金國的劉豫也不失爲適合的人選，至少折家、劉家，畢竟可以起一些兒偶像的作用。

但是，究竟找折可求或是劉豫扮皇帝呢？在金太宗吳乞買眼中看來，兩個人都不錯。

閱讀心得

【第490篇】

劉豫做了傀儡皇帝。

上一篇，我們說到，金朝決定重施故技，用以華制華，張邦昌稱楚帝的老法子對付宋朝。劇本寫好了，卻差一個可以飾演皇帝的要角，選來選去，最後選出兩位候選人，折可求與劉豫。

劉豫聽說自己已被列爲考慮人選之一，立刻削尖了腦袋，四處活動，他先投下巨資，買通了粘罕的心腹高慶裔，然後，藉著高慶裔的拉線，奉獻巨額厚禮給粘罕，又多方賄賂撻懶，使得金朝上上下下都覺得劉豫十分上道，有足夠的條件演好傀儡皇帝的角色。

金太宗吳乞買本來就對折可求、劉豫都沒有什麼印象，既然粘罕等人，再三拍胸脯保證劉豫可用，遂決定以劉豫爲齊帝，在宋高宗建炎四年，也就是金天會八年，即位於大名府，金人將所得陝西關中之地交給劉豫統轄，於是劉豫盡有中原之地，成爲介於金朝與宋朝之間的一個政權。

劉豫是怎樣的一個人呢？我們先介紹一下他的來龍去脈：

劉豫字彥游，是河北省阜城縣人，哲宗元符年間中進士第。

劉豫小時候品德不佳，曾經偷取同學的白金盂、紗衣，被人告發，留了不好的紀錄。政和二年，官任殿中侍御史，被言官攻擊，舉出當年這份前科資料，認爲此人沒資格居此高官，皇帝不願意揭出此件醜事，下詔『勿

過問此事』，但是，對劉豫的觀感極壞。

過了沒多久，劉豫上書談到禮制局事，被宋主駁斥：『劉豫河北種田叟，安識禮制？』嫌他是鄉下種田的老頭子，哪懂什麼禮制，貶爲兩浙察訪。

金人南侵，劉豫嚇得棄官，一口氣逃到眞州，由於張慤大力推介，出知濟南府，劉豫卻擔心山東游寇太多，不好應付，有意在東南地區謀個官職，能得一個知州知府做一做，東南富饒，又沒有兵亂，那是再好不過的事了。

但是，朝廷認爲，能讓劉豫出掌濟南，已是莫大恩惠，還要挑三揀四，嚕嚕嗦嗦，十分可厭，下了詔書，命令劉豫還是得去濟南。

劉豫討價還價不成，碰了一鼻子的灰，滿心不情願，委委屈屈上任了。到了濟南，劉豫馬上與守將關勝鬧得意見不合，關勝是忠心耿耿之將，劉豫是只想過官癮的人，所以，對待金人，關勝主戰，劉豫主和，對待忠義民兵，關勝主撫，劉豫卻要痛勦。

湊巧此時（建炎二年）粘罕大軍南侵，撻懶勢如破竹，攻破東平府，又攻濟南府，關勝見敵軍大規模地開來，著急地向劉豫請纓，要求立刻上戰場殺敵。

劉豫心想，正好趁此機會去除關勝，你小子既然一心想去送死，那我也不用攔阻，立刻爽快地答應。

豈料，關勝竟然不死，打一仗勝一仗，就像他的名字一樣，關關勝利，每次關勝凱歌而返，濟南熱烈慶祝英雄來歸，劉豫也不得不堆著笑容，擺下慶功宴，但是心中窩囊得很，尤其人人都知他倆不合，愈發嚥不下這口氣。

劉豫擔心風頭被關勝一個人搶光了，他面子上不好看，於是乎，他命兒子劉麟出戰，既然關勝可以擺平金人，看來金人也不是什麼三頭六臂之人。

不料，劉麟威風赫赫跨上戰馬，沒兩三個回合就敗下陣來，而且被金軍層層密密地包圍，劉麟自己一個人落荒而逃，撿回一條小命奔回家中。

劉豫見寶貝兒子出師不利，吃了大虧，既疼兒子受了驚嚇，更嘔關勝現在不曉得怎樣得意，他竟然一不做二不休，把關勝給殺了，投降金人。

金人正愁關勝不易對付，沒有想到宋朝窩裡反，劉豫提了關勝的人頭來降，濟南百姓不齒劉豫爲人，不願意跟著投降，劉豫自己獻金納款。對金朝而言，劉豫是立了大功的，因此官運亨通，累官到中奉大夫，京東、京西、淮南等路安撫使兼諸路馬步軍都總管，知東平府事，節制大名、開德等府及濮、博、濱、棣、德、滄等州。單單看一看這長串的官名，就可知道劉豫在金的降臣之中，是排在前面的紅人，也是有資格當上傀儡皇帝中第一主角的。

主角的人選決定了，劉豫挑中張孝純爲丞相，李孝揚、張東爲左右丞，兒子劉麟爲提領諸路兵馬，明年改元阜昌，對金朝行臣子之禮奉正朔。劉豫雖然黃袍加身，卻爲天下人所恥笑，譬如劉豫想拉攏楚、泗州、漣水軍領撫使趙立，他派了趙立的老朋友葛進前往說項，希望趙立從此改向劉豫朝廷納賦稅，趙立火了，不但不把劉豫的詔書打開，而且當場斬了葛進。

劉豫不死心，他又找了一位沂州舉人劉偲，也是趙立的故友，拿著旗子招降趙立，並且提出威脅『金人大軍馬上開到，若不趕快投降，當心全人下令屠城。』

趙立當即下令：『把劉偲給殺了！』劉偲急壞了，大聲喊道：『趙公，你難道不是我劉偲的故人嗎？』

『我只知忠義爲國，你何必提什麼故人不故人？』趙立說完話，命令部下把劉偲用油布一層層裏起來，像包粽子一般，然後抬到市中心，當街焚燒劉偲，從此趙立二字聲傾天下，吸引了不少忠義之士前來投靠。

閱讀心得

【第491篇】早年的秦檜。

話說金兀朮南征失利以後，金朝上下召開檢討會議，決定放棄武力征服計畫，改用以華制華的舊策，把張邦昌當傀儡皇帝的老戲搬出來重新上演，並且找了劉豫擔任主角，在建炎三年，劉豫披上龍袍，在金人卵翼之下，做起皇帝來，建國號爲齊。

金兀朮領教過韓世忠、岳飛的厲害之後發現，南宋這個偏安的小朝廷，雖然料它沒有什麼作爲，卻倒有一批忠心不貳的臣子，死心塌地爲國効忠，單靠軍事力量，不能讓他們屈服的。

假如，金朝可以找到一個中國人，卻又一心一意向著金朝，混入宋朝朝廷，瓦解敵人內部，那可是再好不過的事了。

問題是，到哪兒找這種高級間諜？

金朝忠獻王含笑對大家說：『此事在我心中盤算已整整三年之久，算來算去只有一個人可用。』

忠烈王搶著發言：『我知道，是張孝純。』

『不對。』忠獻王搖搖頭道：『是秦檜。』

一聽到秦檜二字，衆人臉上莫不浮現『對啊，怎麼早沒有想到。』詭譎愉快的笑容，連忠烈王也頻頻點頭稱妙。爲什麼大家都投秦檜的同意票

呢？這是有道理的。

提起秦檜二字，中國人是如雷貫耳，再熟悉不過了，據說連炸油條都是起自油炸『檜』，南方人稱之爲油炸『鬼』，以發洩心中對秦檜的痛恨。但是對秦檜個人，大家除了曉得他是個謀害岳飛的元兇外，所知有限，從現在起，我們會詳詳細細把這個一代奸臣的故事介紹給諸位讀者，讓大家讀個痛快。

秦檜，字會之，江寧（今南京市）人，徽宗政和五年進士及第，補密州教授，又曾中詞學茂科，他寫得一手好文章，詞學造詣深厚，又擅長於書法，尤其是篆書，可以稱得上是一位才子型的人物。

說起來也許有人不相信，早年的秦檜是著名的忠臣骨鯁之士。在靖康元年，斡離不圍攻汴京之時，要求割讓中山、太原、河間三鎮，當時浪子宰相李邦彥、馬屁高手白時中都一致贊成，只有李綱等人堅持抵抗，太學生陳東亦跪在皇宮門口聲援。

秦檜曾經上書反對割讓河北三鎮，他提出四點說明：

一、金人貪得無饜，只能給予燕山一路。

二、金人狡詐，宋朝應當早日防禦。

三、請朝廷開放言路，召集百官共議大事，凡是有值得採信的意見，載於誓書，世世代代遵守。

四、金朝來使應當居住在宮外別館，不能讓金人隨隨便便上殿，以防止金使刺探內情。

但是，秦檜的反對沒有生效，河北三鎮還是割了，而且派了秦檜與程瑀擔任割地使，陪同肅王到燕京，辦妥了交割手續之後，又回到東京。不久，擔任御史中丞職。

後來，金兵二度南下，汴京城陷，徽欽二帝被俘，金人決定用張邦昌爲楚帝，監察御史馬伸對衆人說：『我等職責在諫諍，豈可坐無一言。』馬伸是個了不起的中國讀書人，我們有必要介紹一番：馬伸字時中，紹聖四年進士，具有滿腔愛國熱忱，每次調官，從未選擇遠近便利，一切爲民服務。當他出掌成都時，前任縣丞留下的種種弊端，馬伸一一掃除，因此當繳稅時，民衆爭先恐後通宵達旦搶著先納，常平使孫傒看到這種奇怪現象，幾乎不敢相信自己的眼睛，百姓解釋給孫傒聽：『今年換了馬縣丞，人眞是好，不會在租稅上找麻煩。』孫侯便將馬伸推薦給朝廷。

馬伸雖做了官，仍然一心向學，所謂仕而優則學，他想拜大學問家程頤（伊川先生）爲師。哲宗紹聖年間，程頤因爲被黨爭波及，被放回鄉里，不久，又被遣送涪州（四川涪陵縣）編管，詔命下來，連向叔母辭別也不獲允許。程頤在渡江時，波濤洶湧，幾乎翻船，船上的人又哭又喊，只有程頤端坐不動，面色不改，等上岸後，同船父老問他：『爲何有這般修養？』程頤回道：『不過心裡誠敬罷了。』

馬伸對程頤的涵養最爲敬佩，可惜拜師無門，因爲崇寧初年范致虛等人攻擊程頤，朝廷把程頤所有的著作查禁，程頤不得已，搬到龍門南方居住，並告訴四方學者『你們遵奉已知道的便可，不用再來找我了。』可是馬伸固執的非在程頤門下不可，並且找了張繹代為請託，程頤再三推辭，他不想害馬伸丟官：『時論方異，恐怕會牽累你，你能棄官，但官不必棄也。』

豈料馬伸仍是不死心，他引用孔老夫子的話『朝聞道，夕死可也』——我早上懂得天道，晚上死而無憾，而且『也不一定會死。』程老夫子非常感動，破例收了馬伸為學生，從此以後，不論颳風下雨，馬伸每日前來討教，果然有無聊人士因此造謠生事誹謗馬伸，但是馬伸還是讀完一部《中庸》而歸。

馬伸在學術上有原則、有良心，他在朝為官也同樣有原則、有良心，所以不願奉張邦昌為帝，他要求『仍於趙氏皇族中擇一賢者立之。』秦檜也贊同馬伸的主張，並且寫了一個申請狀投到金營，在進狀中秦檜說自己『荷國厚恩，做爲一個人臣怎能因爲畏懼死亡不議論國事呢？』當時的秦檜看起來眞是令人肅然起敬。

閱讀心得

【第492篇】秦檜的變節。

話說在靖康初年，秦檜反對割讓河北三鎮，繼而金朝立張邦昌爲楚帝，秦檜又附從骨鯁忠臣馬伸之意，進狀金營，要求仍立趙氏爲皇帝。

金人是立定了張邦昌的，今見有人反對，怒氣沖天，不由分說，把秦檜扣押起來，和徽欽二帝一塊兒擄往燕京。

此時秦檜後悔極了，直怨自己何必太過忠心，惹禍上身。堅貞本來就是人世之間難能可貴的情操，秦檜受到挫折之後，立刻做了一百八十度的大轉彎，轉而巴結諂媚金朝上下。

其實，秦檜原本就不是一個有品德有操守的人，當他還在太學裡當學生時，同學們已經發覺此人特別深沉，極爲陰險。他無論乘車，默坐之時，常常牙齒不斷在嚼，起初大家以爲秦檜在吃什麼好東西，後來才發現，他只是空嚼，腮幫子一上一下的，卻不是在吃零嘴兒。

有個會看面相的就說：『大家要小心啊，這種面相，謂之馬啗，和馬兒一樣，沒事儘在磨牙齒，相書上說·此相者可以殺人！』

相書上說的，當然不可盡信，但是，秦檜說話很慢，思慮很久，常常像下圍棋一般陷入長考，倒是真的。不過，在太學裡，秦檜人緣還不壞，很能辦雜事，手腳也俐落，他的同窗給他取了一個外號，稱爲秦長腳。

早年的秦長腳家境貧寒，十分落魄。在政和末年，秦檜有事自金陵外出，經過當塗境上，忽然之間，大雨傾盆、狂風豪雨把橋給沖斷了，秦檜撐著一把破傘在雨中進退徘徊，全身濕透，冷得他瑟瑟發抖，簡直狼狽極了。

這時，有位大戶人家找來的士子，正在教弟子讀書，士子自窗外一望，看到這幕情景，心中暗忖：『太可憐了！』於是連忙呼喚僕人：『把外頭淋雨的這位先生請進來。』

秦檜正不停抖落衣袖，想要甩掉一些雨水，竟然主人有請，大喜過望，像隻落湯雞一般趕緊步入內室。

這個士子眞是好心人，不但打發僕人爲秦檜換上乾爽的衣裳，而且燉了熱湯，備了燙酒，還準備了幾色下酒的精緻小菜，兩人小酌一番，當晚抵足而眠。

第二天，雨過天青，太陽露出笑臉，士子送秦檜離開，兩人萍水相逢，互換姓名，原來這位熱心士子名喚曹廷堅也。秦檜千恩萬謝，叨叨地念著，他日必報答之，但是後來秦檜富貴顯達之後，卻絕不與其往來。由此可見秦檜之爲人。

秦檜中了進士當上御史中丞之後，一掃過去寒酸之氣，特別追求富貴利祿，似乎要彌補過去微賤之時所吃的苦頭。

有一回，秦檜赴外地公幹，經過上元縣，住在縣的招待所裡，當時正是炎炎夏日，上元縣知縣張師言前來拜訪，客氣地請問御史大人『住得還安適否？』

秦檜是極有官架子的，他板著臉說：『此屋粗可居，勉強可住，但是爲西曬所苦，最好能有一涼棚遮蓋。』

張師言唯唯稱是而去。

第二天一大早，秦檜還在床上，就聽到院子裡叮叮咚咚、敲敲打打，他披衣而起，走出來一看，嚇，一座漂漂亮亮用松樹搭建的涼棚已經做好了，清風徐來，秦檜爲之精神一振，心曠神怡。

秦檜忙問工匠：『奇怪，你們怎能一夜之間搭建松棚？』他心想，莫非是變魔術。

工匠回話道：『我們知縣新自建一涼棚，昨日聽御史言，立刻拆下來搬到這兒，否則，哪有如此迅速。』

秦檜一聽，心花怒放，張師言如此會辦事，值得獎勵，倒要想一個辦法酬謝酬謝。

後來，秦檜拜相時，張師言已過七十，早該退休告老還鄉，但是仍戀棧官位，秦檜找來官簿，大筆一揮，張師言立刻只有六十歲，任楚州知州。

張師言以一座涼棚換來了十年官運，這個買賣太划算了。

一個大丈夫應該是『貧賤不能移，富貴不能淫，威武不能屈』，秦檜是貧賤能移，富貴能淫，遇上金人的威武，他會變節投降，也並不是一件奇怪的事。

所以，當秦檜被押解到了燕京，他也拿出張師言的一套辦法，先施以小惠，買通了粘罕的左右，為他多多美言，於是，秦檜如願以償，被派到撻懶身邊，他又拿出那逢迎拍馬的法子，把撻懶全身上下每一根寒毛摸得服服貼貼的，撻懶愈來愈喜歡秦檜了。

當然，秦檜過去反對割讓河北三鎮，反對偽楚張邦昌的忠臣事蹟，看在金朝眼中，那可是不折不扣的壞紀錄。

聰明如秦檜者，豈會不明白金人的顧慮，擔心他仍心嚮宋朝，伺機而動，所以秦檜格外巴結金人，委屈順從到達了極點，而且有事沒事就把『南自南、北自北』的論調掛在口邊，討金人的歡喜。

所謂南自南，北自北，意思是說南方宋朝管南方的，北方金朝管北方的，互不相涉，表示他不再主張宋朝應當收歸失土，恢復中原，這正是金朝的意思，金朝也希望南宋以偏安爲政策，岳飛、韓世忠不要再老想接回徽、欽二帝了。

秦檜在金朝三年，表現良好，又有一流的智慧，滿腹的詞學，這樣的奸細哪兒去找？

閱讀心得

【第493篇】

宋高宗擁抱秦檜。

金朝之所以決定放秦檜回宋朝，作爲裡應外合的內奸，還有一個理由，秦檜曾與其妻王氏合演了一場精采好戲。

當撻懶揮兵南下，與金兀朮夾攻運河時，金朝派了秦檜前往，秦檜希望妻小同行，又不便開口。

於是，有一天，秦檜之妻王氏忽然大聲喧嘩，撒潑吵鬧：『哈，想我家翁父將我嫁與你時，有貲財二十萬貫，希望我們同甘共苦，白首偕老，今天，金國重用你，你準備在燕山府遺棄我，一個人享受榮華富貴？』王氏嗓門奇大，聲音高亢，愈吵愈大聲，撻懶的妻子一車婆聽到了，趕快跑來勸架，王氏一把鼻涕一把眼淚哭訴了半天。

一車婆馬上把秦檜夫妻吵架的笑話轉告撻懶，並且以同爲女人之心，要求王氏隨軍同行，撻懶見秦檜甘心爲金犬馬，有意拋棄老妻暗暗好笑，於是聽了一車婆的意見，准許王氏同行，不但王氏，連秦府的一些奴婢、少婢與兒、小婢硯童，大家一塊走。

秦檜老謀深算，不但藉此表明了志在富貴，忠心金朝的意願，還藉一車婆之力，讓家小隨軍而行，老狐狸確實有一套。

從此以後，撻懶對秦檜更加信任，秦檜也做出願意肝腦塗地，報効金

朝的模樣，他擔任隨軍參議官之時，金朝攻楚州頒佈的招降書，文情並茂，就是出自秦檜的手筆。

由於秦檜表現得可圈可點，屢次通過金人的考驗，金朝遂在柳林正式商議，決定派遣秦檜歸國，瓦解宋朝內部，動搖民心士氣。

建炎四年冬天裡，秦檜帶著妻小婢僕，以及細軟行裝取道漣水軍界（江蘇省漣雲市），乘船出海回到宋朝。

秦檜等一行，包括妻子王氏、硯童、興兒、御史臺街司翁順及親信高益恭等一上岸，立刻被丁禩巡邏時發現，一聲大吼『有奸細』馬上綁起來，準備殺掉。

秦檜急中生智，他大模大樣訓喝丁禩：『休得無禮，我乃堂堂御史中丞秦檜是也，此間有秀才否？如果有，應當知道我姓名。』

當地民智不高，只有一個秀才王安道，王安道可是一輩子也沒聽過秦檜二字，一來他不願得罪秦檜，二來他也想在鄉人前面顯一顯閱人多矣的神氣，所以，他一見到秦檜，立刻長長一作揖：『中丞辛苦了。』

秦檜也微微點頭回禮。衆人看在眼中，心想，王秀才既然認識，不能亂殺，遂以上賓之禮待之，還擺了一桌極爲豐富的酒席。然後，由王安道、馮由義作伴，陪同秦檜前往杭州。

秦檜初到杭州，乖乖，那眞是轟動一時，人人都說秦檜殺了監視他的金人逃回來了，個個爭著敘說當初秦檜如何反對割讓河北三鎭，又反對僞楚張邦昌的英勇往事，再加上自己編造的情節，秦檜成爲最最了不起的民族大英雄。

當時，朝廷中也有一兩個頭腦比較清楚的臣子提出疑問，奇怪，秦檜是與何㮚、孫傅等同時被俘，爲什麼他們沒有一塊兒逃出？而且從燕京到杭州，有漫長的兩千八百里，不是一段很近的路程，一路之上，金人關卡森嚴，秦檜是如何一一避開的？最讓人疑惑的是，他老兄不但安返，而且攜家帶眷，外加奴僕，又有一大堆行李，太不可思議了，莫非其中有隱情？

然而朝中范宗尹、李回等過去與秦檜是老交情，再三拍胸脯保證秦檜的忠心，並且提出反證，假如金朝故意放回秦檜，應該留下妻小爲人質，今天，秦檜全家都回來了，可見得的的確確是殺了金朝的監視人員來歸，至於路途中的驚險，正足以表示秦檜是智勇雙全，了不起！

同時，秦檜本人能說會吹，嘴皮子功夫一流，既沒有其他證據顯示他是金朝派來的奸細，他過去又有過忠心耿耿的事情，再要懷疑他，倒顯得『以小人之心度君子之腹』。

最重要的是，宋高宗對秦檜極有興趣，早先，高宗即久聞秦檜之大名鼎鼎，一朝相見，促膝談心，更有相見恨晚之慨嘆。

秦檜早知高宗沒有恢復中原的打算，如今面對面一談之下，他更摸準了高宗只求偏安，安於現實的心理，又擔心萬一徽宗、欽宗被放回來，他這個皇帝寶座只好讓位了，這一來，宋高宗與秦檜一拍即合，秦檜不用擔心沒有高官厚祿了。

接著，秦檜把自己與金之重臣大將有深厚交情，稍微透露一些給高宗，高宗如果是一切爲宋朝的皇帝，必然勃然大怒，可是他是個只求保住皇位，不管恥辱，只求苟安，不求復土的皇帝，所以大喜過望，因爲秦檜是一個和金朝談判的橋樑，高宗對人說：『秦檜朴忠過人，朕得之歡喜得不能睡覺，一方面得到了二帝、母后的消息，一方面是朕得此佳士也。』

高宗呼秦檜爲佳士，又興奮得睡不著覺，患了失眠症，南宋也步入金朝的陷阱了。

閱讀心得

【第494篇】王仲荀講政治笑話。

話說秦檜重歸宋朝，頗爲轟動，雖然當時也有人懷疑秦檜從金朝逃回來的過程不明，既然他是殺了金人監使，從敵人佔領區逃出來的人，千鈞一髮之際，怎麼連行李、被服、箱子，甚且丫環、硯童都一塊逃出，而且逃了兩千八百里平平安安到達杭州。

說起來，其中值得推敲之處甚多，但是既然上自皇帝高宗，下至宰相范宗尹都異口同聲推崇秦檜是不可多得的忠臣，一般人即使有疑惑，也只能悶在肚子裡了。

秦檜初到杭州，立刻開始鼓吹『如欲天下無事，南自南，北自北。』南方的人管南方的，北方的人管北方的，從此天下太平的理論，也是金人交付給他的任務。

由於秦檜的來歸，讓宋高宗他老人家歡喜得睡不著覺，所以馬上任命秦檜爲禮部尚書，不久又升爲參知政事，當初胡亂開口，假裝認識秦檜的王秀才王安道，也擔任了參議官。

第二年，高宗改元紹興，以越州爲紹興府；表示克紹箕裘，興復大宋之意。

紹興元年，范宗尹罷相職，原先范宗尹建議討論崇寧、大觀年間以來

朝廷濫賞之事，秦檜本來支持范宗尹的意見，可是他冷眼旁觀發現宋高宗不怎麼贊同，立刻見風轉舵，也顧不得當初他來杭州，范宗尹看在老交情的份上，拍著胸脯保證秦檜忠心的舊恩，極力排擠范宗尹，范宗尹的宰相當不下去了，只有被迫請辭。

搞了半天，原來秦檜自己想當宰相，他又不便毛遂自薦，於是，故意對外大放空氣：『我有兩個計策，可安天下。』到底是兩個怎麼樣的計策？秦檜又賣關子，彆彆扭扭不肯說，實在逼急了，他又說：『現在沒有宰相在場，說了也無濟於事。』

宰相位重，久懸也不是辦法，既然秦檜這麼說，他當宰相是再合適也不過的了。紹興元年八月，秦檜拜右僕射、同中書門下平章事兼知樞密院事，如願以償當上了宰相。

秦檜抓權最有一套，凡是跟隨巴結秦檜的，都能平步青雲，官運亨通，所以當時朝臣多半不願外放，希望可以尾隨秦檜身邊打轉兒，順便撈一些好處。

當時在越州流行一則挺有意思的笑話。

有一個叫王仲荀的人，頭腦靈活，反應敏捷，擅長說笑話，唱作俱佳，公卿大夫們都喜歡他，只要王仲荀在，就不愁沒有笑聲。

某日，在秦檜府上，朝彥雲集，大家都在恭候秦檜的出面，而秦檜的架子最大，非得讓賓客們等了又等，盼了又盼，絕不準時。

算算看，依秦檜的慣例，還得熬上好長一陣子，王仲荀便清清嗓子，對大家說：『今日公相尚未出堂，有勞眾官久伺，我有一則小笑話，給各位提提神。』

一聽說王仲荀要講笑話了，大夥都圍攏過來，豎起耳朵，王仲荀便提高了嗓門道：

從前，有一個大官出外辦事去了，過了不久，來了一位客人，遞上名片，門房告訴客人：『某官不在。』

『不在？』這位客人當場光火，他兇巴巴指著門房道：『你是什麼人，竟然如此大膽，凡是人死了，才能稱之爲不在，我與你家主人有深厚的交情，今日特來求見，你這個奴才，居然隨便詛咒主人早死。』

可憐的門房，莫名其妙被臭罵一頓，也不曉得到底哪兒說錯了，嚇得趕快討饒：『對不起，小人不知道這個忌諱，下次不敢了。』門房轉念一想，糟了，下回這個難纏的客人再來，還不知該如何應付。

想到此，門房鼓起勇氣道：『請問大人，不然當如何謝客？』

『這個還不容易嗎？就說你家主人出外可也。』

『不行，不行。』門房把頭搖得像要掉下來似的，『絕對不行，我家主人是寧可死也忌諱人家講出外二字。』

王仲荀的笑話還沒說完，滿座害怕出外（恐懼被調到外地）的大小官員個個笑得直不起腰，王仲荀是一針見血，剛巧刺到每個人的心病。這可說得上是宋朝引人發噱的政治笑話了。

秦檜當權之時，到底如何狂妄自大，聲震天下，可以由下列一則小故事之中看出。有一天，揚州太守接到秦檜一封書信，細細查勘後才發現不是秦檜手跡，而是有人冒充的。此事非同小可，揚州太守立刻上報秦相公，原以爲以秦檜的脾氣，僞造文書的小子遭殃了。

不料，秦檜竟然批示，立刻找一個適當的職位安插此人。揚州太守覺得好奇怪，秦檜面有得色地解釋：『此人敢僞造我的筆跡，此必非常之人，如果不用官位來束縛他，將來更不可想像。』

秦檜未當宰相之前，曾經吹牛，他有兩條妙計可以聳動天下，可是過了快兩年，半條妙計也提不出，黃龜年遂首先提出彈劾秦檜『專主和議，阻撓恢復，植黨專政，漸不可長。』把秦檜的大奸大惡，比爲王莽、董卓，高宗見群情洶洶，一時沒法壓制，只好摘除秦檜的相職，罷爲觀文殿大學士。不過，秦檜自己心中有數，高宗內心對他深感十分滿意，早晚還是要請他出山的，再說，秦檜雖然暫時不執政，朝廷之中還是實行秦檜的策略。

閱讀心得

【第495篇】『精忠岳飛』軍旗。

在南宋時期，中原情勢一片紊亂，除了金兵，僞齊（劉豫政權）外，北自黃河流域，南至長江流域，可以說是盜賊如毛，處處可見土匪和擁兵自據的軍人，史書上稱之爲群盜。

老百姓在這樣的情形下，眞是苦不堪言。宋朝大臣朱勝非從湖南、江西赴杭州，他形容一路上看到的情形是『入衡州（湖南省衡陽縣），有屋無人；入潭州（湖南省長沙市），有屋無壁；入袁州（江西省宜春縣），則人屋都沒有了。』可見當時是如何地悽悽慘慘。

然而，南宋政府對人民卻絲毫未加憐憫，沒有屋子照樣要納房屋稅，家中無丁也不能免掉丁稅，於是許多人走投無路，只有被逼上梁山，當強盜去了。

其中一位叫李成的，野心甚大，他佔據江淮湖湘十多郡，擁兵數萬，力量很大。李成臂力無窮，能夠拉開三百斤的弓，左右兩手都能使刀。他會打仗，又懂得帶兵，如果部下沒有吃的，他也不進食，所以部下都願意爲他効命，李成甚至想打垮宋朝，自己當個皇帝。在《說岳》這部小說中，自命不凡的余化龍便是李成的化身。

岳飛奉派進剿李成，到了洪州（江西南昌），剛好獲得江州（江西九江）

『精忠岳飛』軍旗

失守的消息，張俊愁眉苦臉地對岳飛說：『我和李成交鋒數次，每回都失利，你可有什麼好主意？』

岳飛回答：『這並不難，賊兵一向貪功，瞻前不顧後，我如果派出三千騎兵，從上游生米渡繞到李成後面，給他出其不意來個前後包抄，必定能破賊。』

主意拿定之後，岳飛自任先鋒官，他身披重甲，首當其衝，躍馬渡江，其他士兵見主帥這般勇敢，也紛紛效仿，老百姓看在眼中，以爲是神兵下凡。當李成部隊的尾巴，忽然看到紅綢白邊的『岳』字軍旗，嚇得目瞪口呆，因爲從來沒有這種事情發生，不一會兒工夫，五萬賊兵全部投降。

李成部隊的主將馬進，完全不曉得後邊的情況，他自恃兵力雄厚，出城佈陣，見岳飛只有兩百多個兵卒，不覺暗暗好笑，即刻提兵殺向前去，岳飛且戰且走，一路退到東城，忽然，驚天動地一聲鑼響，伏兵齊出，馬進大敗。

馬進趕快溜入李成營中，正在拍著胸脯，慶幸大難不死，誰知岳飛硬是騎著快馬，闖入營內，把賊營衝得亂了陣腳。最後，岳飛提著馬進的腦袋，昂然而出。

李成闖蕩江湖以來，還沒有看過這般神勇的隊伍，他心膽俱裂，帶著殘餘的兵卒，北走僞齊，投降劉豫去了。

李成遠逃之後，江淮一帶最大的一股力量，應該算是豫鄂邊區的流寇張用。張用人稱『張莽蕩』，他的太太也有一身不凡的身手，綽號叫做『一丈青』。

張俊對岳飛說：『這一仗又非你出馬不可了，你準備帶多少人去？』

『我一個人去就可以了。』

『那怎麼行？』

最後，張俊爲了怕失誤，堅持岳飛帶三千人馬前往。

岳飛到了金牛，派兵送了一封信給張用，對張用說：『我們是小同鄉，我願給你一個忠告，你如果願意投降，朝廷會任用你，如果你不肯降，後果你自己明白。』

原來，張用也是河南省湯陰縣人，從軍報國之後，同樣曾在宗澤手下當過統制，後來，杜充接任宗澤的職務，張用忍受不了杜充的跋扈，一怒之下當了強盜，岳飛曾經用八百兵馬，在東京南薰門、鐵鑪步，把張用數萬大軍打得丟盔棄甲，落花流水。

這段經過，別人也許不清楚，張用可是一輩子也忘不掉，何況現在岳飛當了大將軍，兵力比以前充實十倍以上，如果與岳飛硬碰硬幹起來，吃虧的當然是自己。

張用與他老婆一丈青看了岳飛的信後說：『岳飛的教訓就像父親的教訓一般，怎能不從？』事實上，張用也是挺心服岳飛的，當初若是岳飛擔任杜充的官職，他也許不會中途改行當強盜了。

兵不血刃解決張用之後，岳飛又前往廣西，對付曹成。有一回，岳家軍抓到曹成的間諜，綁在營帳中問話。岳飛在營帳門口，有個小兵詢問岳飛：『糧食快要吃完了，怎麼辦？』

岳飛說：『催嘛，不然我們先回茶陵再說。』他一面回答，一面進入營帳，看到間諜，故作吃驚狀，好像後悔自己方才說溜了嘴。

然後，岳飛命手下假裝疏忽，讓曹成的間諜偷跑回去興奮地表功。

曹成聞之大喜，準備第二天去解決缺糧的岳家軍。沒想到，岳飛找了些野菜讓士兵充飢，當天夜裡突襲曹成軍營，熊熊大火瓦解了曹成的軍隊，最後，曹成投降。

除了李成、張用、曹成之外，孔彥舟、范汝爲、劉忠等盜賊也被岳飛一一敉平。岳飛在兩年內，消滅了大江南北和江西、湖南、廣西、廣東、福建五省的匪患，平定了數百萬的盜賊，因此，宋高宗特於紹興三年召見岳飛，賜給衣甲、馬鎧、弓箭各一副，金線戰袍、金帶手刀、銀纏槍、戟、馬海皮鞍各一件，並且御筆親題『精忠岳飛』四個大字，繡製成旗，賜給岳飛，命他出征時一定要撐起此旗，表示榮譽。

或許就因爲『精忠岳飛』四個字，使許多人誤會岳母在岳飛背上刺的四個字是『精忠報國』，其實，應該是『盡忠報國』。

閱讀心得

【第496篇】牛皐的眞實故事。

話說李成被岳飛猛攻之下，夾著尾巴逃到劉豫旗下，劉豫這個僞齊皇帝，見到李成，大喜過望，劉豫的幕後老闆金人也樂得很，準備借重這股新的生力軍，大大幹他一場。

宋高宗聽說李成溜了，倒是十二萬分的心焦，他無時無刻都希望李成歸來，甚且曾經對岳飛說：『朕留著節度使的職位，以待李成來歸。』節度使是相當大的官職，由此可見高宗對李成的看重，以及南宋朝廷之無能，只想用高官厚爵籠絡盜賊。

眼看著，李成是絕對不會吃回頭草了，為了增加岳飛抵抗李成的力量，朝廷特於紹興三年十二月將牛皋撥為岳飛旗下，命為神武後軍統制。

看到這兒，一定有讀者覺得奇怪，不對啊，牛皋此人，大家太熟悉了，他不是岳飛的結拜兄弟嗎？怎麼到現在兩人才相見？

其實，根據正史上的記載，岳飛與牛皋不是兒時玩伴，牛皋，字伯遠，汝州魯山人。金人入侵，牛皋率領群衆與敵人相戰，十分勇敢，宋朝給他保義郎的官位。後來他打盜賊楊進，三戰三捷，在京西對抗金人，十餘戰皆捷，做到和州防禦使、五軍都統制。撥歸岳家軍之前，牛皋對岳飛僅是慕名而已。這段正史上的說法，也許會令讀者們失望了。

在《說岳》一書，以及根據說岳改編的電影、電視、平劇、歌仔戲、布袋戲之中，牛皋被塑造成岳飛的少年朋友，牛皋父親早逝，臨終之前囑以『若要兒子成名，需要去投靠周同師父。』

等到牛皋不遠千里而來，周同老師父已經作古，於是改向岳飛習藝，與王貴、湯懷結爲拜把兄弟。

牛皋在小說中是一個魯莽有趣、野蠻與《三國演義》中的張飛、《水滸傳》中的李逵差不多性格的活寶人物。例如在《說岳》第八回之中，他老兄在土地廟前，奉命看守……

『牛皋正在打盹，猛聽得吶喊聲音，忽然驚醒。望外一看，見得門外射進火光，一片喊叫聲，把眼睛揉一揉道：「咦！有趣啊！果然大哥有見識，眞個有強盜來的，總是你們要進京去搶狀元，不知自家本領好歹，如今且不要管他，把強盜來試試鐗看。」就把雙鐗提在手中，掇開破壁，爬上馬衝了出來，大叫一聲：「好強盜，來試鐗啊！」就颼的一鐗，將一個打得腦漿迸出，又一鐗打來，直把一個打做兩截……』

牛皋雖是一個有勇無謀，粗粗蠢蠢，只曉得蠻幹的武夫，可是他坦坦蕩蕩，對岳飛忠心耿耿，那一份中國鄉下人特有的憨直，又使得大家對他喜愛異常，忍不住拍手鼓掌。

例如第十二回中，岳飛在試場中遭張邦昌陷害，準備將岳飛斬首號令。

『牛皋可忍耐不住了，左右一聲「得令」二字尚未說完，底下牛皋早已聽見，大喊道：「呔！天下多少英雄來考，哪一個不想功名？今岳飛武藝高強，不能夠做狀元，反要將他斬首！我等實是不服，不如先殺了瘟試官，再去與皇帝老子算帳吧！」便把雙鐧一擺，往那纛旗桿上噹的一聲，兩條鐧一望下不打緊，把個旗桿打折，轟隆一聲響，倒了下來，猶如天崩地裂一般。』

再看『牛皐酒醉破金兵』之中，他喝酒喝得踉踉蹌蹌，糊裡糊塗，被風一吹，酒卻湧了上來，把口張開，竟像靴統一樣。這一吐，直噴在番將面上，那番將用手一抹。這牛皐吐了一陣酒，卻有些醒了，睜開兩眼，看見一個番將，立在面前抹臉，就舉鐧來打了一下，把番將的天靈蓋打破，跌倒在地，腦漿迸出……

這個就是人們心目中的牛皐，眞實的牛皐到底如何呢？很可惜的，在

《宋史》牛皋傳中只有一小段的描寫。

話說比岳飛大六歲的牛皋歸屬岳飛後，岳飛很喜歡牛皋這名勇士，每次有重要戰役，總是派他出征。

金人進攻淮西，僞齊派出五千兵馬攻廬州。牛皋騎在馬上，用氣壯如虹的聲音大聲喊話：『奇怪，我牛皋在此，你們怎麼敢前來進犯？』說來也妙，五千兵馬被牛皋一罵，竟然嚇得不敢動彈，然後，套上馬韁溜了。

牛皋看到自己這一吼，就能嚇退僞齊軍隊，得意得要命，笑得肚子都痛了。

思慮周密的岳飛連忙提醒牛皋：『快追啊，不然我們一走，他們馬上又來了。』

牛皋立刻放馬追過去，一連追了三十餘里，僞齊的兵馬一半被打死，另一半則是因爲害怕，互相踐踏而死，盧州戰役就結束了。從這小小一段的描寫，經過小說家的編撰，就成爲人們熟悉的牛皋，雖不無誇大的嫌疑，至少性格是相吻合的。

再說小說中的湯懷，正史中沒有這個人物。至於王貴，小說中岳飛幼年時的玩伴，一個頑皮的小少爺，還是岳飛恩人之子，其實在正史中是個水寇，有一萬多個嘍囉，後來被宗澤招降，成爲岳飛的部下，最後岳飛被秦檜陷害，還與王貴有關哩，我們以後慢慢再講。

閱讀心得

【第497篇】

怒髮衝冠憑欄處。

岳飛任用猛將牛皋打前鋒，收復了盧州。不久，鄧州、唐州，整個襄陽地區全部都光復了。

然而，膽小又怕事的宋高宗事先曾經頒旨給岳飛，只准他作有限度的戰爭，不許乘勝進攻，也不能追賊於六郡之外。當然，更不可以北伐，免得金人不滿，劉豫不悅。

由於岳飛討伐李成有大功，宋高宗便把原先想用來收買李成的節度使一職給了岳飛，任命岳飛爲清遠軍節度使，湖北路荊襄、潭州制置使。到了這時，岳飛遂與韓世忠、張俊、劉光世共同列名爲四大軍事元帥，而岳飛此刻僅有三十二歲，眞可以説得上是標準的青年才俊。

岳飛一向是『富貴於我如浮雲』，他身膺重任，感懷世局，寫下了膾炙人口的『滿江紅』。

『怒髮衝冠，憑欄處，瀟瀟雨歇。抬望眼，仰天長嘯，壯懷激烈。三十功名塵與土，八千里路雲和月。莫等閒，白了少年頭，空悲切。靖康恥，猶未雪，臣子恨，何時滅。駕長車踏破，賀蘭山缺。壯志飢餐胡虜肉，笑談渴飲匈奴血。待從頭，收拾舊山河，朝天闕。』

讀者們對靖康之難以後，南宋朝廷前前後後，來龍去脈有了進一步的

怒髮衝冠憑
瀟瀟雨
仰天長
功名塵與
雲和月莫等閒
靖康恥猶未雪
壯志飢餐胡虜
拾舊山河朝天闕
岳飛

了解，相信更能體會岳飛孤臣孽子之心。

曾經有蒙藏人士提出抗議，要求禁唱滿江紅，因爲其中有吃胡人肉、飲胡人血的字樣，實在傷感情。其實，打金人是宋朝的事，胡人二字也是歷史上的名詞了。如今中華民族早已融合五族成爲一體了，當時的『胡虜』『匈奴』今天成爲中國人，也許你我身上都流有胡人的血液，怎能再吃胡人肉、飲胡人血呢？

但是，岳飛的滿江紅，一腔忠憤，字字血淚，如果禁唱滿江紅，讓後人不能透徹了解岳飛，那是萬萬不可以的。換個角度來看，假如有什麼人到現在還拿著滿江紅，對蒙古朋友開玩笑，那也未免太無聊太淺薄了。

盧州解圍之後，岳飛在紹興五年二月，由池州到臨安，朝謁宋高宗，高宗除了封賞他的母親、妻子，賜給銀絹之外，並且授與鎮寧軍節度使，荊湖南北襄陽府路制置使，晉封爲武昌郡開國侯。

正如同『滿江紅』一詞中岳飛所說『三十功名塵與土』，功名利祿對他而言不過是塵土，八千里路以外的地方才是他心思所繫。因此，岳飛三次上奏，請辭封賞。高宗不許，並且派他立刻去平定洞庭湖中大水寇楊么。楊么是何許人也？我們先解釋一下楊么的名字，楊么本名楊太，他是湖南鼎州（常德縣）五斗米教主鍾相最小的一個徒弟，因爲排行老么，所以稱之爲楊么。

五斗米教，由來久矣，是東漢末年張道陵首創，後來他的孫兒張魯即以此據有漢中，一直傳到北宋末年，浙東方臘起事（方臘的故事本書前面已講過）都是以五斗米教爲旗幟。這個教傳到湖南，在鼎州生根（鼎州在今湖南常德），鍾相便以宗教爲名，組織群衆，用法術迷惑百姓，聚斂財貨。

鍾相居住的村落裡，有一座山叫做天子崗，他在天子崗修築壕壘，用防賊之名義，擴充勢力，凡是入他的道門，稱之爲『入法』，又名『拜爺』，他的信徒都稱鍾相爲『老爺』，完全是必恭必敬的。

建炎四年，鍾相自稱楚王，改元『天戰』，立他自己太太伊氏爲皇后，兒子昂爲太子，對外行文也自稱『聖旨』，可謂過足了皇帝的癮。

後來，鍾相被朝廷正法之後，他的徒弟們便擁護足智多謀的楊么爲領袖，稱大聖天王，奉鍾相的小兒子鍾子義爲太子。

楊么頗具領袖才能，他接管後，比鍾相的規模更大，由於湖廣是魚米之鄉，又扼東南與關中、巴蜀要道，不但南宋相當緊張，僞齊劉豫也急著與他勾結，但是這些說客來使，大半都被捆起來扔到洞庭湖裡餵魚蝦。因此，當岳飛在對陣之前，準備先派使者去招降，使者嚇得面色如土，連連搖手道：『那不等於拿肉去餵老虎嗎？你還是先把我殺掉算了。』

岳飛胸有成竹地說：『你放心吧，我派你去，你絕不會死。』

使者沒有第二條路可以選擇，只好硬著頭皮，滿心不情願的去了，到了水寨門口，直著嗓子嚷道：『岳節度使派我來的。』說完了話，使者便呆若木雞，等著聽候發落，不料，竟然有楊么的部屬，看了岳飛的信，關心地問使者：『岳節度使身體可好？』

由此可見，岳飛的英名早已響徹中國，這群洞庭湖的水寇，原也是善良的百姓，若非走投無路，也不願意落草爲寇，即或是當了土匪，對於能打金人的民族英雄依然敬佩。

使者走後，楊么部下之中便有一個叫黃佐的將領說：『我聽說岳節度使號令如山，誰也不敢不聽他的話，我們若是與他爲敵，一定沒有生路，還不如趕快投降，他一向待人寬厚，不會虧待我們的。』

於是，黃佐親自走了一趟潭州，岳飛不但赦免他的罪，立刻報奏朝廷，授以武義大夫的官職，並且備了豐富的酒菜，與黃佐共酌，對他說：『我需要你的幫忙，你再回洞庭湖中，作爲內應。』

黃佐一口答應：『我一定不負使命。』

黃佐當了岳家軍的間諜，萬一被楊么發現，也就只有葬身湖底了，但是，黃佐卻很高興有這個報効國家，爲岳飛賣命的機會。

閱讀心得

【第498篇】洞庭湖裡捉楊么。

話說岳飛奉命討平楊么，楊么部將黃佐來降，岳飛命令黃佐先返回寨中，擔任策反工作。

不久，楊么部眾之中，陸陸續續有人來降。岳飛一律授予官職，設宴款待，然後，再把他們放回湖中。

此時，朝廷派遣張浚前來視察，張浚爲唐朝宰相張九齡之弟九臯之後代，四歲喪父，品性端正，自小目不斜視，從無戲言。後來中了進士、賢良兩科，他與韓世忠一般，同爲平定苗劉之亂的功臣，由於張浚爲人正直，連苗劉派來的刺客都不忍心下手。

張浚一到，參政席益馬上向張浚打小報告，他用神祕兮兮的語氣說：『我看，岳侯該不會是別有用意吧，否則何必如此縱容匪徒，來一個，放一個，我得向朝廷稟告才好。』

張浚立刻喝阻他：『不可以，岳侯一向是忠義之士，他這麼做，一定有其用意，你不許隨隨便便胡亂猜測。』幸虧張浚是個君子，不然，席益可要壞了岳飛的大事了。

到了六月裡，朝廷召張浚回去，臨走之前，岳飛求見張浚，自衣袖中抽出一張小小的地圖。

岳飛對張浚說：『八日可下楊么。』張浚有些不悅，他認爲岳飛是信口開河，吹得離譜，正色道：『王𤫉打了兩年，都沒有能夠攻下，你卻不到十天就成功了，天下豈有這麼簡單的事情？』

岳飛即刻解釋：『楊么是洞庭湖裡的水寇，熟悉地形，變幻莫測，宋軍又不擅長水戰，王𤫉自然攻打不下。我則準備用水寇打水寇，離間楊么，讓他們窩裡反，如此，八日便足夠了。』

儘管岳飛胸有成竹，張浚仍然不敢相信。最後，奏報高宗：『如果到了六月上旬，賊寇仍未攻下，召岳飛駐守潭州，規劃上游的軍事。』

被岳飛放回去的黃佐，果然不辱使命，說動了楊么手下第一名大將楊欽前來投降。在此之前，岳飛早已封鎖洞庭湖內外要道，斷絕了水寨中的糧食出入。水寨中的人當強盜，原也是迫不得已的，今天能夠歸順在岳將軍的旗下，爲國家民族出一份力量，也是挺光榮的事。因此，楊欽歡天喜地，帶著三千部下，駕駛著四百多艘船，浩浩蕩蕩開來。

到了岸上，楊欽表示誠意，把自己反綁起來，撲通一聲跪在岳飛跟前。岳飛趕緊爲楊欽鬆綁，拿出皇帝所賜的金束帶戰袍爲楊欽佩戴，奉若上賓，並且即刻上奏，封他爲武義大夫。

岳飛找了王貴等人作陪，擺上豐盛的酒菜，楊欽的弟兄們也被招待得無微不至，酒醉飯飽，打了一場痛痛快快的牙祭。

岳飛給足了楊欽的面子，讓他在部下面前也臉上貼金，楊欽太高興了，簡直有點兒舌頭打結，期期艾艾，不曉得應該如何表達心中千萬謝意，楊欽的手下也都交頭接耳道：『早該來的。』

正在大夥兒歡天喜地，認識新夥伴之時，岳飛突然下令，要楊欽帶領原班人馬，立即返回洞庭湖中，讓大家錯愕萬分。

諸將都勸岳飛不要輕舉妄動。上一回，放走黃佐，已經夠奇怪的，現在又要把楊欽放回去，更是冒險。何況黃佐、楊欽都到過岳家軍的陣營，豈不是放虎歸山？岳飛不予理會。

過了幾天，已經放回去的楊欽又回來了，而且帶著全琮、劉銑一塊兒前來投降。岳飛暗忖，果然沒有看錯人，表面上卻假裝生氣，斥責楊欽：『又沒有全部投降，你帶這兩個來有什麼用？』派人把楊欽用棍打了一頓，又放回去。

這會兒，岳飛一切佈置妥當，當天夜裡，全速進攻。

楊么之所以能夠有本事在洞庭湖裡當水怪，出沒異常，因為他設計了一種頗為奇妙的武器——帶著輪子打水的巨船，速度驚人，而且前前後後都設有撞竿，小小的官船一衝上來，馬上被戳個大窟窿，完全不是對手。

岳飛深深了解這種小船碰大船的危險，決定不採取以卵擊石的蠢方法，他先砍伐上好的木料，製成巨筏，阻住湖中各個港道。

然後，岳飛找來許多腐爛的草木垃圾自上流漂下，接著，挑選了一兩千名嗓門大、火氣爆的士兵，站在水淺之處，破口大罵。

楊么的水兵被這麼一激，脾氣也發了，駕著船追殺上來，罵陣的岳家軍邊罵邊退，退到某處，上流漂下的草木，恰好被賊軍一路投擲要打宋軍的石頭壓住，船輪之中，塞滿了一大堆亂七八糟的東西，船也就只好擱淺了。

岳家軍此刻一衝而出，巍峨神氣的楊么巨舟只有挨打的份兒了，再加上黃佐、楊欽等人的內應，大家同心合力抬起大樹幹撞擊賊舟，楊么大敗，他本人跳入水中，被牛皋自水中撈了起來，斬了首級送到軍府中。

岳飛是菩薩心腸，他不忍心格殺水寇，便把楊么部下之中少壯的編爲官軍，其餘兩萬多人，遣散歸家。

張浚聽到消息，簡直不敢相信自己的耳朵，岳飛竟然實現在八天之中平服楊么的計畫，不禁大嘆：『岳侯不愧爲神機妙算！』南宋除了張浚之外，還有一個大將張俊挺有名氣，張浚、張俊不是同一人，張浚爲正人君子，張俊的故事，我們以後再說。

閱讀心得

【第499篇】苦人兒的故事。

上一篇講到〈洞庭湖裡捉楊么〉，楊么部將黃佐來歸，做爲內應。有讀者以爲寫錯了，應該是王佐。而且王佐也是岳飛故事中有名的人物，平劇中有『八大槌』、『朱仙鎭』、『王佐斷臂』都是王佐的故事。

事實上，正史之中並沒有王佐這個人物，黃佐既爲平定洞庭湖中水寇有功大將，小說家便以此爲本，加油添醬寫了一段『苦人兒』的故事。雖然正史之中沒有這段記載，王佐斷臂本身卻是極爲動人的戲劇，不妨介紹給讀者們。

在小説之中，王佐的故事是這樣的：

平定楊么之後的王佐，一直追隨岳飛，卻沒有立功的機會，總覺得心中不安。某日，他心生一計：

原來，當時金兀朮正派其子陸文龍率軍攻打南京，岳家軍和陸文龍交戰，卻是屢戰屢敗，岳飛苦無對策，煩惱不已。王佐察知陸文龍並非金兀朮的親生兒子，乃是宋朝潞安州節度使陸登的兒子，當金兵攻入潞安州時，陸登全家殉國，只有奶媽帶了尚在襁褓中的陸登的幼子逃走。不料半路奶媽被金兵捉住，兀朮看到小嬰兒，十分歡喜，也不知他是陸登的遺孤，便收爲養子。此時，陸登的遺孤已經長大，而且武藝驚人，這就是陸文龍。

陸文龍替金人打宋朝，當然是因爲不知道自己的身世。王佐便想到如果讓陸文龍知道他自己的身世，就不會再効忠金朝了。但是必須要有人去告訴陸文龍，那一幕陸登殉國的悲慘故事，這說故事的人弄不好會被金兀朮殺掉，所以沒人敢把眞相告訴陸文龍。王佐想到自己深受岳飛的提拔，又受宋朝的厚祿，實在應該報答岳大哥，也同時爲國家盡一份力量，於是決定設計冒險混入金營，以便接近陸文龍，告訴陸文龍事情的眞相。

在一個宵深露冷的夜晚，他悄悄去請見岳飛。岳飛燈下抬起頭來，冷不防見到王佐面黃如土，血流滿身，岳飛大爲吃驚，卻見王佐自軍袍之中掏出半截血淋淋的胳膊。

王佐疼得全身顫抖，結結巴巴地說：『今日大哥爲著被金兵打敗而發急，我要效法「要離斷臂刺慶忌」之事，為國盡心。』

岳飛起先不肯，禁不住王佐再三哀求，而且他臂膀已斷，假如不去冒一次險，豈不是白白殘廢一隻手？岳飛只得噙著眼淚，同意王佐到金營去做間諜。

王佐連夜趕到金營，求見金兀朮，金兀朮見到滿身血漬的王佐，便問：『你是什麼人，為什麼要見我？』

王佐哭哭啼啼道：『我本是洞庭湖中楊么的部下，後來，被岳飛打敗，只好投降。前二日，狼主（指金兀朮，是戲裡的稱呼）派出的陸文龍，英勇無雙，岳家軍之中沒人比得上，我勸岳飛說今日中原殘破，二帝蒙塵，天意如此，不如早日降金。豈料岳飛一發火，反而砍斷了我的右臂，派臣來通知狼主，他即日要擒拿狼主，臣若不來，連左臂也保不住了。』

王佐一面哭，一邊掏出那半截著實嚇人的右臂來。

金兀朮十分感動，對王佐說：『你爲了我們金邦，遭此大禍，我就養你一輩子吧，現在我封你一個「苦人兒」的官號，你可以在軍中自由走動。』金營中，上上下下都很同情苦人兒的遭遇。

有一天，王佐遇到一位老婦人，老婦人是中原人，兩人既是同鄉，便攀談起來，原來老婦人是陸文龍的奶媽，她回憶當年陸登殉國的經過，不禁掩面哭泣。

王佐知道老婦人仍然忠於故主，便把自己眞實身分告訴了老奶媽，決計相機行事。

過了幾天，王佐隨著陸文龍回營，陸文龍挽留王佐一塊吃羊肉，順便問起：

『中原有沒有什麼故事，說來聽聽。』

王佐便一連講了兩個故事，一個是越鳥歸南，一個是驊騮向北。

越鳥歸南的故事是說春秋時代吳越交戰，越王把西施送給吳王夫差，西施帶去一隻鸚鵡，詩詞歌賦，樣樣皆能，可是到了吳國之後，鸚鵡不再唱歌，一直到西施重返越國，牠才引吭高歌。

陸文龍問道：『爲什麼？』

『因爲鸚鵡雖爲鳥禽，卻念本國家鄉，有些人還比不上鳥。』王佐話中有話，陸文龍卻聽不出來。

接著，王佐又說了一則故事，眞宗皇帝在位時，自番邦得到一匹名馬，名爲日月驌驦馬，可是馬兒到了汴京，什麼草料都不肯吃，只知向北嘶鳴，最後活活餓死了。

陸文龍點頭誇獎：『這匹馬眞夠義氣。』他還想再聽一個故事，王佐卻不再講下去了。

過了幾天，王佐又來說故事，還帶來一幅插圖，陸文龍十分興奮。只見圖中畫著一位將軍自刎而死，另一婦人抱著小孩痛哭，又有許多番兵羅列在旁。

王佐開始說了：『此地是中原潞安州節度使大營，自刎而死者爲大宋節度使陸登，這個小娃娃叫陸文龍。』

『喔？他也叫文龍？跟我一樣？』

王佐不理會他的打岔，繼續說下去：『陸文龍父親殉國，母親盡節，金兀朮見文龍十分可愛，命奶媽抱入金營，收為養子，他不為父親報仇，反呼仇人為父，令人痛心。』

陸文龍拔出劍來怒斥王佐：『苦人兒，你明明在說我！』

王佐道：『不是你，反倒是我不成？我斷了手臂，皆是為你，你若不信，何不問奶媽？』

話未畢，奶媽一面走出，一面用袖子抹眼淚，哽咽地說：『老爺夫人死得好苦。』

陸文龍如遭雷擊，雙膝一屈向王佐下拜：『此恩此德，永遠不忘。』

說著，他抽出寶劍，咬牙發誓：『待我殺了仇人，與恩人共奔宋朝！』

王佐急忙攔阻：『小不忍則亂大謀，小將軍不可造次。』最後，陸文龍取得金兵軍事要件，投向宋營去了。

以上是王佐斷臂的故事，許多人以爲是眞實的歷史，其實，史書中沒有這一段，也沒有陸文龍其人其事。不過透過小說和平劇中的傳播，王佐便成爲中國人心目中的忠義之士了。

閱讀心得

【第500篇】

吳玠吳璘守西蜀。

西蜀之地，久爲金人所垂涎，宋朝能夠一直保有此塊富饒之地，這是吳玠吳璘兩兄弟的功勞。

吳玠是德順軍隴干人，他少年時候即沉毅有志節，知兵善騎射，未滿二十歲時，就以良家子弟隸屬涇原軍，曾經打過西夏，參加討平方臘，追擊河北群盜的戰役。

由於吳玠能征善戰，被張浚看上，任命爲統制，他的弟弟吳璘掌帳前親兵。

建炎四年春天，吳玠升爲涇原路馬步軍副總管，金朝元帥撒離喝長驅入關，被吳玠打得大敗。金人打宋人，除了遇上少數的岳飛、韓世忠之外，一向是勢如破竹，不料吳玠如此厲害，撒離喝竟然因此害怕得嚎啕大哭，金兵上上下下都覺得太沒有面子了，男子漢大丈夫哭什麼，因此戲謔他爲『啼哭郎君』。

紹興元年，吳玠奉川陝宣撫處置使張浚之命，據守大散關東邊的和尚原（陝西省寶雞縣西南）。當時和尚原已與後方斷絕，人心惶惶，部將之中有人想劫持吳玠吳璘投降金兀朮邀功。

吳玠知道了這件事，他召集全軍夥伴懇談，歃血爲盟，勉人忠義，將

蜀

士們都感動得熱淚盈眶，化解了一場危機。住在鳳翔一帶的居民感激他固守西蜀的決心，互相約定，半夜裡偷偷輸送粟米糧草。百姓的原意是勞軍，吳玠卻堅持不能白拿農民辛苦的收穫，硬是塞給銀帛。如此一來，自然送糧草的居民更加絡繹不絕了。

金兵很生氣，派人躲在渭水旁邊，看誰敢運糧就斬誰的腦袋，而且實施連坐法。但是鳳翔居民仍然冒著生命危險，不斷地輸送糧食，使得吳玠兄弟沒有斷糧之虞。

金朝大將沒立、烏魯折左右夾擊，非把和尚原拿下不可，由於山谷路狹又多石，馬不能行，金人只好下馬步戰，結果碰上大風雨雹，落荒而逃。金兀朮十分生氣，決定率領十萬大軍親征，而且大張旗鼓地在渭河上面架起浮橋，更自寶雞到鳳翔，紮起了『連珠營』，壘石爲城，輪番進攻和尚原。

吳玠兄弟卻不慌不忙，他們挑選強勁的弓弩手，組成『駐隊矢』，對準『連珠營』連發不絕，繁如雨泣，綿綿密密的箭矢使金兵招架不住，連金兀朮也被神箭手射中兩箭，落荒而逃。

當然，金人是不會死心的。『啼哭郎君』撒離喝繞道仙人關猛攻。駐守仙人關的劉子羽，也是個不肯服輸的硬骨頭，他手下僅剩三百人，糧食早已吃光了，以草芽、木甲充飢。撒離喝連派十位使者前來招降。前面九個都被劉子羽殺了，第十個被放回去，帶著口信給撒離喝：『劉子羽是斷頭將軍，不是投降將軍。』

吳玠接到劉子羽的求援驛書，立刻以日夜三百里的驚人速度趕來，他先差人送了數百黃柑犒賞金師，並且說：『大軍遠來，聊奉止渴。』撤離喝看到金澄澄、甜蜜蜜的黃柑嚇呆了，他不停地用杖擊地道：『怪哉，吳侯怎麼來得這麼快？』這一回，『啼哭郎君』雖然未曾再度哭泣，卻也死傷十之五六，又加上瘟疫流行，撤軍而去。

吳玠的弟弟吳璘，為了表示抵抗金人的決心，曾經在和尚原的險阻之地，建築營壘，命名為『殺金平』。紹興四年，金兀朮等又率十萬大軍前來，架起雲梯進攻壘壁，雖然雲梯多半被守軍用撞竿打碎，堅耐的金兵仍然前仆後繼，吳軍軍營中有些將領害怕了，想要調往他地防守。吳璘拔出刀劍，在地上畫了一道深深溝痕：『我們死就死在這塊地方，誰敢言退，就在此地問斬。』

金兵換上新的生力軍，披上重鎧，用鐵鉤掛住城牆，魚貫攀登要隘垣牆，吳玠又以『駐隊矢』連連發箭，金兵死者層積，接著，金兵用火攻樓，將官姚仲急中生智，用酒缶撲滅之。金將本來是下決心要取得四川，但仙人關側的『殺金平』，眞正成爲殺金平，從此不敢再染指四川。

吳玠與金人對壘達十年之久，他對待下屬，嚴而有恩，雖然身爲大將，小兵有任何意見卻照樣可以上達，深深了解上下溝通的重要。

吳玠平素喜歡讀歷史，凡是在書上看到可以做爲借鏡者，他就書寫在牆上，久而久之，四周全是寫滿的格言。

基於英雄惺惺相惜，以及同仇敵愾的愛國情操，吳玠與岳飛雖然沒有共事，卻彼此仰慕。

岳飛在湖北作戰之時，吳玠聽說岳飛孤身在軍中，妻子沒有跟在身邊，沒有娶妾。吳玠便好心好意挑選了一位標緻的美女，刻意打扮一番，又備了豐富的陪嫁，讓她去伺候岳老爺。

使者到了漢陽，把信呈給岳飛，岳飛很不高興，立刻回了信，賞賜了使者，叫使者把美女帶回去。

有人勸岳飛：『你何不領了吳將軍的美意，多一個人照料也好。』

岳飛根本不喜歡這個調調兒，他推辭道：『吳少帥好意我心領了，但是國恥未雪，現在不是享樂的時刻。』

吳玠發現美女送回，對岳飛更加欽佩了，這也是歷史上一段佳話。

閱讀心得

【第501篇】傀儡皇帝下臺。

話說建炎三年、四年，當金兵大舉南下之時，宋朝幾乎全無抵抗能力。當時宋朝沒有滅亡，倒還多虧老天保佑。其後，金兀朮北還，中原局面幾度變化。到了紹興七、八年間，宋、金之間，忽然展開熱絡的和談。

促成和談的背景有三：一是宋高宗始終畏懼金人，希望求和。二是金太宗死後，北方情勢複雜，劉豫被廢。三爲秦檜與王倫的主和。

我們先來談一談劉豫被廢的故事。

劉豫能夠如願以償，繼張邦昌之後，被金人立爲齊帝，主要是因爲他擅長於巴結，買通了粘罕左右。

劉豫當上齊帝以後，對高慶裔、粘罕、撻懶仍然每歲皆有厚賂，可是對金朝其他將領，卻是相當蔑視，惹得諸將及貴臣都大爲不悅，紛紛加以排斥。

金朝當初立劉豫的原意，是希望以華制華，用華人來對抗華人，但是劉豫瓦解南宋的工作成績低劣，劉豫無才無德，在漢人心目之中，始終沒有分量。

更糟糕的是，劉豫竟然老吃敗仗。紹興六年，宋朝在中原經過一番部署之後，正式進討劉豫，兵分四路，張浚屯兵盱眙、韓世忠屯兵楚州、岳

飛屯兵襄陽、劉光世屯兵廬州，稱之爲『四大屯』。

劉豫十分緊張，趕快求救金熙宗，熙宗召開御前會議，其中之一蒲盧虎（漢名宗磐）說：『當年先帝之所以冊立劉豫，是爲著利用劉豫，牽制宋師，我可坐收其利，今劉豫進不能攻，退不能守，反而兵連禍結，成爲我等一大負擔，要劉豫有何用？』

站在金人的立場，這話說得也是。所以金朝決定不發兵，只派金兀朮到黎陽，冷眼旁觀，看劉豫準備如何應付。劉豫莫可奈何，只好硬著頭皮發兵三十萬。

金兀朮是一向討厭劉豫的，尤其劉豫是粘罕支持的人，心中更爲不悅，聰明的岳飛決心乘機進一步挑撥劉豫與金兀朮之間的感情。

某一天，金兀朮派出的間諜到了岳飛的防區，被眼尖的士兵逮住，抓到岳飛的營帳外，兵士大聲喊道：『末將在土山上，拿到一個奸細，等候元帥發落。』

『綁進來。』

左右一聲『得令！』就將那人推入帳中跪下。

岳飛瞄了一眼，立刻知道這是金邦奸細，於是佯裝醉意，驚呼：『快鬆綁。』又訝異道：『張斌，你是怎麼一回事，我不是派你到齊國去，約齊誘殺四太子（指金兀朮），你去了就沒有回來。我再派人去打聽，才知道劉豫已經答應我，今年冬天在清河把四太子殺掉，可是，你爲何不帶信來，莫非你已背叛我？』

奸細被岳飛搞糊塗了，他暗暗盤算，既然岳老爺把他誤爲張斌，那就將錯就錯，當做張斌吧，至少比見閻王爺要好得多。

於是，奸細配合岳飛開始演戲，不斷叩頭懺悔，請岳老爺再給他一次機會。

岳飛見其上鈎，正色地對奸細道：『你的罪本該立斬，我現在饒你一命，派你到齊國去，問劉豫起兵殺四太子的確切日期，你萬萬不能再誤事。』並且對左右吩咐：『把他腿肚子割開，將蠟丸用油紙包好，放在他腿肚子裡面，再把腳裹好。』

『小心快去，我等你的回信！』

岳飛下令後，金朝奸細諾諾而出，忍著疼痛，逃回金兀朮大營。金兀朮見其晚歸，頗爲不滿地訓斥：『孤家差你去打聽消息，到底怎麼樣了？』奸細趕快陪著笑臉，一五一十稟報。金兀朮派人把他的腿割開，取了蠟丸，沖洗乾淨，用小刀割開，裡面果然有一封書信，是岳飛與劉豫合謀誅除四太子之事。

金兀朮未嘗沒有想到這是岳飛的反間計，但是，劉豫絕不是好東西，他過去背叛過宋，如今當然可以再背叛金，何況他與劉豫有過不愉快，劉豫想除去金兀朮也不是絕無可能。於是，金兀朮立刻飛書回金，要求廢除劉豫。

恰好，劉豫三路兵馬都被宋師擊敗，金人聞訊大爲懊惱，決意正正式式廢除劉豫。

劉豫吃了敗仗，又趕緊向金人求援，金主一方面虛與委蛇，一方面用迅雷不及掩耳的方式，一下子接收劉豫所有僞軍，撻懶與金兀朮率兵直入汴京，活捉劉豫，召集百官，宣讀金人詔書，廢爲蜀王。

劉豫未料有此一變，呆了半晌，又哭倒在撻懶跟前，苦苦哀求。撻懶嗤之以鼻道：『想以前趙氏少帝出京，百姓沿街哭號，響徹雲霄，你要離開京師了，怎麼沒有一個老百姓爲你掉眼淚，你該好好責備自己！』

劉豫豈不知汴京百姓恨他入骨，爲之語塞，與其家人同被金朝送到臨潢，過著階下囚的生活。

十月裡，岳飛與韓世忠聞說劉豫被廢，先後上書，請求朝廷乘機北伐，收復中原。宋高宗不肯說是，也不肯說不是，乾脆把公文壓著不理，岳飛與韓世忠心中的憂傷、憤怒與無奈，也就可想而知了。

閱讀心得

【第502篇】

王倫出使金朝。

秦檜本爲宋欽宗時的御史中丞，而且是忠忱骨鯁之士，在靖康之難時隨二帝被俘而北，金太宗把秦檜撥給撻懶使用，秦檜爲人狡猾，被金朝選爲瓦解宋朝內部的最佳人選。

於是，秦檜很順利，很戲劇化地攜同妻子、奴婢，浩浩蕩蕩自金朝『逃回』宋朝，宣揚『南人歸南，北人歸北』承認金人佔領的中國土地爲金國合法領土的主張。向來苟安的宋高宗，發現秦檜正是他與金國交往的一座橋樑，興奮地不能成眠，任命秦檜爲宰相，後來，秦檜過於囂張，被群臣給噓下臺。時爲紹興二年。

到了紹興八年，秦檜又再度出山，被任命爲宰相，這是因爲劉豫被廢，宋朝使者王倫自金國歸來，透露金人有議和之意，秦檜才又重登相位，再掌大權。

王倫字正道，幼年時，家中貧窮，沒有好好受教育，成爲往來京、洛之間的『遊俠』。做了一些不法的勾當，由於刁鑽油滑，所以能數次逃過法律的制裁。

靖康元年，汴京失陷，宋欽宗到了宣德門，看到亂糟糟的一片，六神無主，不知怎麼才好。王倫穿過黑壓壓的群衆，擠到欽宗身旁，悄悄地說：

『臣能爲陛下彈壓之。』

宋欽宗看了王倫一眼，不認識這個人，但是只要能解圍，什麼人都好，順手把隨身佩帶的夏國寶劍賜給了王倫。誰知王倫竟然涎著厚顏道：『臣未有官，豈能彈壓。』

噢，敢情還要乘機討個一官半職，宋欽宗嘆了一口氣，拿了一張紙，御筆親批：『王倫可除兵部侍郎』，除是任官之意。

王倫拿到了這張紙，歡天喜地的走了，他步下宣德門，懲罰了幾個鬧事的京師惡少。由於王倫這個兵部侍郎是乘人之危得來的，而且乘的皇帝之危，宰相何㮚大大的不以爲然，批評王倫是『小人無功』，而且斥責爲『不用』。

王倫既然被宰相斥爲不用，好的差事當然輪不到王倫頭上。一直到了建炎元年，宋高宗想派一個通問使到金朝去，打聽徽、欽二帝的消息，沒有人敢去，也沒有人願意去，王倫心想，這倒是一個出頭的機會。於是，自告奮勇到金朝走一遭。

王倫到了雲中，被粘沒喝扣留下來，到了紹興二年，才被釋放。由於王倫能言善道，把北方情形交代得十分清楚，頗得到宋高宗的嘉慰。

到了紹興八年，劉豫已被廢，河南、陝西一時之間沒有人管，高宗再派王倫出使金朝，爲奉迎梓宮使。原來，道君皇帝（徽宗）與寧德皇后（即徽宗皇后鄭氏）已駕崩於五國城，所謂梓宮指的是天子的棺木，因爲是梓木製成，所以稱之爲梓宮。

臨行之前，高宗教王倫對撻懶說：『今河南之地，金人既然不要，何不如還給宋朝？』

王倫到了金朝，金熙宗命群臣商議，其中代表主和派的訛魯觀說：『我們把地還給了宋朝，宋朝必以德報我。』

主戰派的阿懶馬上頂回去：『我們把宋朝的父兄都給俘虜來了，結怨早非一日，如果把土地還給宋朝，是幫助敵人，哪有什麼德不德？』

兩派僵持不下，最後主和派暫居上風。當王倫歸來，報告宋高宗，金人願意歸還河南陝西之地，以及送還韋太后與徽宗梓宮時，高宗大喜過望，曰：『若金人能從朕所求，其餘非所較也。』王倫所提的韋太后即宋高宗親生母親韋賢妃，隨徽欽二帝被俘而去，高宗遙尊她爲皇太后。

既然宋金和議再起，於是一向力主和議的秦檜，再度被獲重用。於紹興七年任樞密使，八年再爲宰相，吏部侍郎晏敦復聽到消息，長長吁了一口氣道：『糟了，奸人當了宰相。』

秦檜拜相後第一件事，就是再度派遣王倫到金朝，決定了和議，金人派遣大臣張通告、蕭哲爲江南詔諭使，於十月間與王倫同來宋朝。這兩名金朝使節派頭好大，凡是他們行經的州郡，當地長官都要以臣禮相迎。

此時，劉豫被廢，宋兵告捷，中原收復在望，岳飛、韓世忠聲勢如日中天，忽然要和金人屈膝言和，還要忍受金人種種侮辱，朝廷之上輿論譁然。

秦檜命令吏部侍郎魏矼擔任接待金人的館伴使，魏矼不肯，推辭道：

『我以前擔任御史時，曾經一再反對和議，不適合擔任此職。』

『你到底爲何不主和議？』秦檜問道。

魏矼條條列舉不能相信金人的理由，並直言：『皇上何必自取其辱？』

秦檜的老臉有些掛不住，但是仍然不動聲色，用平穩的語氣說道：『魏公把敵人猜想得太狡猾，我則一貫以誠待人。』言下之意，似乎魏矼以小人之心度君子之腹，秦檜他自己才是一個誠信的君子。

魏矼微微冷笑道：『公以誠料敵，敵未必以誠待公也。』說什麼也不願意屈就館伴使。魏矼是唐朝名相魏知古的後人，學問道德均爲一時之選，假如他肯答應，則不但給足了金人的面子，而且連魏矼也贊同和議，正可以堵塞天下悠悠之口，偏偏魏矼是個骨氣的人，拚了一頂烏紗帽不要，也不願意屈就，秦檜拿他沒辦法，只好改派吳表臣爲館伴使。

閱讀心得

【第503篇】

胡銓上書轟動天下。

由於金人廢了劉豫，宋廷使者王倫從金國歸來，透露金人有還地議和之意，秦檜遂得以再度出山，做了宰相，掌握政權。

當時反對和議的人很多，備受朝野尊敬的魏矼便一再提醒秦檜：『敵國狡猾，不可輕信。』宋高宗頗感爲難，身爲堂堂一國之君，總不能自己承認怯弱，想來想去，只有拿出中國古人最喜歡用的擋箭牌——母親大人。於是，高宗屢次對秦檜說：『先帝梓宮（先帝指宋徽宗，梓宮是天子棺木），果然有歸還的一天，朕再等個兩三年也無妨。但是太后春秋已高，朕早晚思念，恨不得早一天能夠相見，所以不惜委屈自己，希望儘早達成和議。』說著說著，眼淚都要掉下來了。

秦檜趕忙順著高宗的話諂媚道：『皇上委屈自己，以求達成和議，此人主之孝也，可是見到主上受到卑屈的待遇，我不免憤憤不平，也是人臣之忠也。』

秦檜摸透高宗一心巴望早點達成和議，卻又拉不下臉，不曉得如何對忠心大臣開口的矛盾心理，故意想出一套法子，加強高宗主和的決心。

有一日，他單獨求見高宗，向高宗說道：『臣僚畏首畏尾，多持兩端，這種模稜兩可的態度，不足以裁斷大事。如果陛下決心議和，乞求全權委

託臣，不要讓群臣干預此事。』

『好，朕單獨委託卿辦理此事。』高宗滿口應諾。

秦檜倒反而說：『臣惟恐有所不便，請陛下考慮三天再說。』過了三天，高宗召見秦檜，對他說：『我已經考慮過了，朕委託卿全權辦理。』

誰知秦檜還是那句老話：『臣恐怕有所不便，希望陛下再思考三天，容臣別奏。』仍然要求高宗長考。

高宗莫可奈何，苦笑道：『好吧，我再考慮三天。』在這三天，高宗思前想後，最後，仍然一橫心，還是和議可圖一時之苟安。

三天之後，秦檜又來討回話，見高宗依舊維持原意，於是拿出有關和議的文件，君臣二人有了默契，讓秦檜獨攬大權，達成和議。

這一回，金朝派使節前來，名義上不稱與宋議和，只稱之爲『江南詔諭』，壓根兒就沒有把宋朝視爲平等往來的對手國，對於南宋朝廷統轄的地域，則稱之爲『江南地區』。且『詔諭』之意，詔本爲皇帝的命令，詔諭純粹是上國對待屬邦的態度，而南宋朝廷也自甘卑賤，傳令各府州縣，在金使過境之時，要以臣子之禮，恭迎上國大使。

宋朝百姓是極有民族氣節的，現在被迫對敵人屈膝，心中充滿了悲憤，所以杭州大街小巷都貼滿了『秦相公是奸細』的白紙帖子，朝廷上下更交相指責和議之非。

尤其是胡銓上了一個奏章，措辭尤爲激烈，罵得相當痛快。他在奏章中說：『臣謹按，王倫本是一個狎邪小人，市井無賴，都因爲宰相沒有見識，才派他使虜，此人專務詐誕，欺罔天聽，天下之人切齒唾罵，今日無故誘致虜使，以詔諭江南爲名，是存心要把宋朝當做劉豫一般看待也。

『夫三尺之童，就算再怎麼無知，假如有人指著豬狗要他對著朝拜，他一定怫然大怒。今天金朝正有如豬狗，我們堂堂大國，竟然相率而拜豬狗，連童稚都以爲羞辱之事而陛下竟然忍得下這口氣？

『王倫說，我一屈膝，則梓宮可還，太后可復，淵聖（指宋欽宗）可歸，中原可得。嗚呼，自從發生變故以來，哪一個不是用這套話欺騙陛下，然而從未有應驗者，可是陛下還是不覺悟，耗竭民脂民膏毫不憐恤，忘卻國家大仇而不報，含垢忍恥，就算和議達成，天下後世將把陛下看成怎麼樣的一個君主？況且金朝詭計多端，加上王倫狼狽爲奸，所以梓宮絕不可還，太后絕不可復，淵聖絕不可歸，中原絕不可得！而此膝蓋一屈，不可復伸，現在內而百官、外而軍民，都想吃王倫的肉，謗議洶洶，陛下卻聽不見……』

接著，胡銓又指名攻擊秦檜：『陛下有堯舜之資質，秦檜不能輔佐陛下如唐虞，反而引導陛下爲石晉（石晉指的是晉朝石敬瑭，是兒皇帝），臣以爲王倫、秦檜、孫近三人都應該斬首，假如把此三人的頭顱掛在街上，則三軍之士，不戰而勇氣百倍，否則，臣只有跳東海而死，不能在小朝廷中苟活。』

胡銓這篇奏疏氣壯山河，奏呈之日，贏得朝野一致喝采，都說，終於有人站出來講良心話了。宜興進士吳師古特別把胡銓的這篇奏章刻在木頭上以傳誦之。最後連金人都聽說宋朝出了一篇轟動天下的妙文，特賞千金以求其書，金人得到此篇奏疏後，大驚失色，連呼：『糟了，南朝有人，足以破秦檜之謀也。』

當然，老奸巨猾的秦檜，絕對不能允許胡銓這種骨鯁之臣存在，他批了『狂妄兇悖，鼓眾劫持』八個大字的罪名，把胡銓趕出朝廷，前往廣州鹽倉，吳師古也流放鹽州。胡銓臨行時，同郡王廷珪以詩贈行，結果王廷珪也因而流放辰州。

胡銓雖然丟了官，他這篇奏疏卻流傳千古，成爲歷史上極爲著名的一篇文章，也代表中國傳統知識份子的歷史責任感。讀聖賢書，所學何事？應該就是胡銓這種浩然正氣。

閱讀心得

【第504篇】宋高宗秦檜合力謀和。

紹興八年七月，秦檜再度派遣王倫赴金，決定和議。朝廷之上議論譁然。胡銓上書力諫，激昂慷慨，朝野一片讚好，甚且金人也以千金募其書。秦檜爲之大怒，將胡銓逐出朝廷，貶往廣州鹽倉。

胡銓雖然被摘去官職，卻以直聲震動天下，因此陳剛中特地前來道賀。秦檜聞訊，立刻把陳剛中扭送吏部，流放贛州安遠縣。贛州本來就是蠱毒瘴癘的險惡地帶，贛州十二邑之中，又以安遠縣地惡瘴深，完全不適人居，因此有一句諺語：『龍南、安遠，一去不轉』，意思是說，什麼人到龍南、安遠，就不要活著回來了。

果然不出秦檜所料，陳剛中到了安遠不久，由於受不住當地惡劣環境的侵襲生病了。秦檜大爲快慰，心想，有著胡銓、陳剛中的例子爲榜樣，看誰還敢多嘴多舌，阻撓和議。

沒有想到，宋朝朝廷之中不怕死的臣子還真不少，校書郎許忻、樞密院編修官趙雍同日上書，贊同胡銓，力排和議，禮部侍郎曾開更教訓秦檜：『儒者所爭在義，苟非爲義，雖高爵厚祿不顧也，我想知道你爲什麼要事奉敵人？』秦檜勃然大怒：『只有侍郎知道道理，我秦檜豈會不曉？這是國家安危的千鈞一髮，你懂嗎？』說著差人把曾開趕出去。

過了幾天，吏部尚書張燾，吏部侍郎晏敦復、魏矼，戶部侍郎梁汝嘉、給事中樓炤、中書舍人蘇符、工部侍郎蕭振、起居舍人薛徽言等同班入奏，反對和議。

秦檜眞是很傷腦筋，他決定邀集若干素來被認爲是忠臣者助陣。於是悄悄約了戶部侍郎李邇遜到家中密商，秦檜滿臉笑容對李邇遜說：『政府目前正需要人才，你若主張和議，當以兩地相送。』

李邇遜敬謝不敏道：『邇遜受國恩深厚，何敢見利忘義？今日之事，國人皆不以爲然，獨有一去以報相公。』

秦檜被澆了一盆冷水，寒著臉，一語不發。

第二天，李邇遜竟然又奏上一本，且言：『乞求陛下另外選擇忠信之人，協濟國事。』等於對準秦檜放上一箭，秦檜氣得發抖。

奉禮郎馮時行更在召對時，單刀直入問宋高宗：『莫非陛下要效法漢高祖分羹事？』

漢高祖分羹事是歷史上有名的掌故：在漢高祖劉邦與項羽共爭天下之時，有一回，項羽把劉邦的父親關了起來，逼迫劉邦就範。並且威脅劉邦，假如不聽話，就要把他父親烹了做肉羹。

劉邦竟然不以爲然，嘻皮笑臉道：『我們倆既然結拜爲兄弟，你殺了我父親，也就等於殺了你父親，如果你眞要拿他煮肉羹，煮好了別忘分我一杯羹。』

項羽知道劉邦爲人苛刻無情，即使殺了他父親也不會傷心難過，也許眞喝了肉羹也說不定，最後就放了老人家一條命。

馮時行拿高祖分羹之事爲比喻，意思是在責罵高宗，金朝把徽宗、欽宗、太后全都俘虜而去，做皇帝的不設法營救，反而屈膝談和，莫非也想分太后的一杯羹？

馮時行這個比方又狠又準，實在難聽，宋高宗接不上話，負氣站起，皺著眉頭恨恨地說：『朕不忍心再聽下去了。』

正在宋高宗及秦檜一籌莫展之際，有個熱中做官的小人勾龍如淵獻上一計：『相公爲天下大計而操心，而邪說橫起，何不選擇適合的人爲臺諫，把胡亂開炮的大臣趕出朝廷，則相公之事遂容易了。』

此話點醒了秦檜，他立刻照辦，同時爲獎勵勾龍如淵，拔擢他爲中司，於是反對和議的大臣一個一個充軍的充軍，革職的革職，連趙鼎這位與秦檜一同任相職的，也不得不遜位辭職，由秦檜一人獨專相位。秦檜能有這麼大的權力，當然背後有宋高宗支持，宋高宗經過長考，才答應秦檜『勿許群臣干預』，因此後代有人爲高宗開罪，說他是被秦檜矇騙了，這眞是天曉得，凡是讀過歷史的人都了解，高宗與秦檜一唱一和，搭檔演雙簧。

既然朝廷之中反對和議者，都被趕光了，剩下的臣僚，全是清一色的秦檜黨羽，頑鈍無恥之徒。即或如此，秦檜仍舊不敢相信這群同僚，凡是上書給皇帝的奏章，都是出自秦檜打的草稿，眼光好的人一看便笑道：『此又是出自老秦筆下也。』

反對的聲浪既然被壓下去了，和議之事遂得以順利進展。紹興八年十二月，金使入見高宗，說明先歸還河南陝西之地，當時李綱聞訊，再度上書力諫，高宗自然還是不予理會。紹興九年，和議達成，民間無不浩嘆，朝廷卻喜上眉梢，拜王倫爲端明殿大學士東京留守，一面下詔大赦，一面爲百官將士加爵賜賞。

朝廷之中反對和議的，雖然都被掃地出門，不過領兵在外的武將，如岳飛、韓世忠、吳玠、劉錡等都是不同意和議的，韓世忠曾上書：『金人詭詐，恐怕用計詎騙我師。』岳飛更上書：『金人絕不可信，和好絕不可恃。』等到岳飛得到因和議『成功』而蒙獲加爵開府儀同三司，更堅決力辭爵賞：『今日之事，可危而不可安，可憂而不可賀，可訓兵飭士，謹備不時之需，而不可論功行賞，爲敵人所訕笑。』後來，終由高宗一再勸慰，岳飛方才勉強受命。

岳飛這個倔強的態度，自然讓秦檜大為不滿。然而事實上，卻不出岳飛所料，當王倫再度前往金朝，被金兀朮關了起來，不久，金兵大舉入寇，和議遂被全面推翻。

閱讀心得

【第505篇】

青少年不滿秦檜。

紹興九年，宋金達成和議，宋朝忍辱含垢，維持一時的苟安，宮廷之中，擅長於馬屁功夫者，呼秦檜爲『太平翁』，讚美他爲國家帶來了天下太平，秦檜也當仁不讓接受了這個名實不相符合的美譽。

在民間，秦檜的聲譽壞透了，想要殺他的人不知凡幾，所以胡銓的上書，才會人人拍手讚好。秦檜自己心裡也有數，在各地佈滿了察事之兵卒，稍稍有些小事譏諷秦檜，立刻逮捕治罪，連青少年也不例外。

有一個叫王蘋的人，學問道德都首屈一指，宋高宗曾聽到他的名聲，以布衣賜進士出身（布衣指沒有官位的百姓），王蘋有個聰慧的姪子王誼，家學淵源，年方十四歲已滿腦子救國救民的思想，他小小心靈，十分痛恨秦檜所作所爲。某日，王誼在私塾中寫功課，拿起毛筆順手塗鴉：『可斬秦檜以謝天下。』寫完以後，他一溜煙跑到外頭玩耍去了。

過了一會兒，家中僕人來打掃書房，看到小主人桌上有這麼幾個大字，大喜過望道：『發財的機會來了，擋也擋不住。』然後，他小心藏妥紙張，跑到王誼父親身旁，勒索千金，否則就要告到官府裡去。

王宅一向待人寬厚，即使對下人也不例外，這個惡僕見利忘義，王父十分生氣，一下子也拿不出千金，恨恨地說：『你要告就去告吧，小孩子

隨便寫寫怎能當眞？』

沒想到，這個僕人眞的一狀告到衙門，負責的官吏明明知道此原是小孩信手塗鴉，實在不値得鄭重其事，但是懾於秦檜耳目遍佈全國，萬一因爲一個小朋友偶爾胡言亂語，影響到政治前途太划不來了。所以衙門的官吏不但將王諠收押，且一狀告到京師。

可憐的王諠遂被押解赴京，審判的結果竟是『伏罪當誅』判以死刑。後來，念在王諠是個十四歲的毛孩子，免其一死，但也不能不關入大牢。經過了這件事，人們對秦檜更加敢怒不敢言，惟恐一不當心，重演王諠事件。

另外還有一個故事，也是不滿秦檜的青少年所爲：

樞密使王庶有個兒子活潑好學，喜歡談國家大事，對岳飛、韓世忠十分欽佩，對奸相秦檜打心底厭惡。

有一天，家中來了一個和尚，和尚拿了一張紙對這位少年朋友說：『你要不要看我變魔術？』說著，他拿起毛筆，沾一沾藥水浸過的溶液，在紙上寫了幾個字。

『什麼都看不見嘛，你要沾墨才能寫啊！』少年指正他說。

『等一下，你看就知道了。』說著和尚把寫過字的紙丟入水中，果然紙上的字就清清楚楚浮現出來了，這一招其實並不奇怪，武俠小說中常常出現，說穿了就是一種化學變化。歐美間諜影片中，也能見到這種類似的劇情，一張紙看似白白的，經過火烤，字跡凸現。

少年覺得這套魔術十分有趣，一面嚷著：『我也來玩玩看。』一面拿起毛筆，也如法炮製在溶液中沾了一沾，寫下『秦檜可斬』。他還來不及把紙丟在水中，和尚已一把搶走了。

和尚自從得到這『四個字』，搖身一變成為王府的太上皇，不但強索金錢，予取予求，而且對少年擺出作威作福的架勢，稍有不順於心，便要去官府告發相威脅，這位少年眞是悔不當初，但事已至此，莫可奈何，只好掛著眼淚給和尚當小奴才。

王府上上下下都為此日夜不安，有個忠心的僕人看不過去了，他既不忍心老爺茶飯不思，也捨不得小少爺受此委屈，遂心生一計。

某日，這個貪心的禿頭和尚散步至廢園，僕人指著一口老井道：『你瞧怎麼井裡有一條巨蟒，好怕人啊！』

和尚走近一看，什麼都沒有。

僕人說：『你彎下腰就看到了。』

和尚一彎腰俯視，僕人自後把他雙腳一提，和尚大叫一聲，滾入古井之中。

王宅之中少了一個耀武揚威的和尚，而這個和尚曾經掩不住得意，向鄰人和盤托出個中原委，於是，鄰人一狀告到官府，王府便成為『叛逆』之家，遭到大獄。

不但秦檜得罪不起，連秦檜死去的父親也一樣不能開罪。秦檜的父親曾為靜江府縣令，秦檜當道後，太守胡舜為了要拍馬屁，建議在縣裡為秦父立一祠祭拜，縣令高登認爲這簡直是胡鬧，不能答應，胡舜遂一狀告到官府，高登受不了獄中的大刑伺候，放出來時已不成人形。

由於秦檜的法力無邊，宋朝朝野幾乎沒有不怕他的。有個叫毛德昭的人，素好批評，某日又在朝天門前茶肆放言高論，口沫橫飛，狂妄已極，忽然走來一過客，在他耳旁悄悄說了一句話，毛德昭好像被蛇咬了一口，著急地站了起來，雙手掩耳不斷地說：『放氣，放氣！』拔腿狂奔。

原來是有人在他耳邊挑釁：『君素來以敢言著稱，不知你認爲秦相公如何？』

閱讀心得

【第506篇】

子魚和青魚。

自從秦檜小人得志，雞犬升天之後，他的家人也都成爲神聖不可侵犯的頭號人物。

秦檜有一個孫女，封爲崇國夫人，小名稱爲童夫人，是個嬌滴滴，任性到了極點的千金小姐，小姐畜養了一隻獅貓當寵物，十二萬分的寶貝。

有一天早上，孫女發現貓咪不見了，這還得了，立刻傳令，非趕緊找到不可。

於是臨安府派出大批搜索隊員，沿街訪尋獅貓，凡是貓咪都一隻一隻抱了回來，孫女不斷的搖頭喊：『不是，不是，不是我的貓咪。』大小姐的獅貓到底長得什麼模樣，誰也沒見過，官府只好派人賄賂秦家老傭人，請他說明獅貓的模樣，並且還畫了圖，印了一百多張，貼在大街小巷茶肆之中，重金懸賞失蹤獅貓，比失蹤人口還要大費周章。

這會兒，整個臨安人人都在找貓，所有獅貓都被一網打盡，送到秦府指認，只換來孫女兒一頓一頓的脾氣，最後，臨安府只有託人去向大小姐賠罪饒命，才平息了失貓風波。

秦相府中一隻貓咪都比人值錢，在這樣的惡劣環境之中，人們爲了求生存，自然而然紛紛向秦檜巴結拍馬。

有一次，秦檜做生日，好事之徒當然利用這個機會挖空心思獻殷勤，其中有個和尚，六根不清淨，卻最能投秦檜所好。他歌頌讚美秦檜道：『我不用椿與松祝福秦相公，因爲松椿老人，空而無用，我不用龜鶴祝福秦相公，因爲龜鶴的脚挿在爛泥裡，我只願秦公如天上的明月，歲歲年年都是如此皎潔，引領著天上的星星。』這首詩眞是旣噁心又肉麻，秦檜卻愈看愈歡喜，當然少不了將這個和尚大大獎賞一番。

許多人都爭相巴結秦檜，但是，馬屁要拍得恰到好處也不是一件簡單的事。尤其秦檜的文才極佳，他又能寫一手篆書，金陵文廟井欄邊，秦檜曾題有『玉兎泉』三個字，的確是出自行家之手。

有一個人士姚敦昭也擅長於書寫篆書，聽說秦檜有此雅好，遂想利用篆書和秦檜接近接近。

果然，天從人願，秦檜看上了姚敦昭的字，命他用篆書抄寫孝經。姚敦昭爲此簡直興奮得睡不著覺，他正襟危坐，寫了一遍又一遍，撕去重寫，重寫撕去，折騰了好多天，終於寫成了差強人意的作品，掛在牆上。

姚敦昭倚在床上，對著牆上的書法，半瞇著眼睛，嘴角浮起了得意的微笑，自言自語道：『錦繡前程，光明遠景就在此了。』

第二天，姚敦昭找了一家信譽良好的裱字畫店，千囑託、萬叮嚀，務必要店東小心裝裱，店家聽說是要呈送給秦相公的，當然也不敢怠慢。

當姚敦昭的篆書王給秦檜以後，秦檜大爲欣賞，邀姚敦昭赴宴。姚敦昭這下可抖了，不自覺得意忘形，講起話來也口沫橫飛，更糟糕的是身體動來動去，屁股彷彿坐不住椅子，秦檜一反感，姚敦昭的心血就泡了湯。

秦檜身居相職，乃一人之下，萬人之上，秦檜對高宗仍然是要刻意巴結的，不但他自己小心翼翼，體察上意，而且派出其妻子對皇后、太后多多拉攏。秦檜的妻子王氏可是歷史上大大有名的人物，以毒蠍心腸著稱，甚且有人說王氏之陰險超出秦檜之上，所謂最毒婦人心。不過，自以下故事看來，王氏的段數似乎仍比秦檜差一截。

話說有一回，王氏又照例進宮，向顯仁太后請安。王氏嘴巴甜，又會撒嬌，向來甚得太后的寵愛，兩人話家常話了一半，顯仁太后突然說：『我最愛吃子魚，可是最近上貢的子魚甚少，還饞得很。』（子魚即鯉魚）

王氏一聽此言，馬上接口道：『子魚？妾家多得很，明天我就挑一百尾上好子魚呈獻給太后。』

回家之後，王氏馬上邀功似地對秦檜說：『我們家子魚多得吃不完，剛好太后最愛子魚，我已稟報太后，明日一早送去一百條。』

王氏滿以為秦檜會誇她一句會辦事，豈料秦檜一聽此言，面色慘白，連呼：『糟了糟了，要誤大事了！』王氏不明就裡，滿臉無辜瞅著秦檜。

秦檜忿忿地說：『你這個笨蛋，皇宮裡沒有子魚，我們家卻有一百尾子魚，你不是存心害死我？』

王氏一聽，呆立半晌，跌坐在椅子上，秦檜所言甚是。由此可見，一般朝臣心目之中秦檜地位超過皇帝，這要讓高宗知道了，必然大為震怒，秦檜豈非陰溝裡翻船？但是，王氏既然已經答應了太后，明日又該如何交代？

秦檜爲此，在房間裡踱來踱去，不知如何是好，最後找了師爺來商量，有個足智多謀的師爺忽然靈光乍現：『有了，不妨用青魚代替。』秦檜拍掌稱妙，立刻去市場買了一百尾青魚，青魚是普通魚，肉質頗似子魚，但不及子魚名貴，帶有泥土味，秦相府中是找不到青魚的。

第二天，王氏如約帶了一百尾魚去，顯仁太后一看就噗哧地笑了出來：『我說你是村婆子，沒見過世面，這是青魚，哪能與子魚相比？』

『眞的啊，請太后哪一天讓我瞧瞧，開開眼界。』王氏趕忙使出渾身解數演戲，免除了太后的妒忌。

閱讀心得

閱讀心得

歷代・西元對照表

朝　　代	起迄時間
五帝	西元前2698年～西元前2184年
夏	西元前2183年～西元前1752年
商	西元前1751年～西元前1123年
西周	西元前1122年～西元前 771年
春秋戰國(東周)	西元前 770年～西元前 222年
秦	西元前 221年～西元前 207年
西漢	西元前 206年～西元 8年
新	西元 9年～西元 24年
東漢	西元 25年～西元 219年
魏(三國)	西元 220年～西元 264元
晉	西元 265年～西元 419年
南北朝	西元 420年～西元 588年
隋	西元 589年～西元 617年
唐	西元 618年～西元 906年
五代	西元 907年～西元 959年
北宋	西元 960年～西元 1126年
南宋	西元 1127年～西元 1276年
元	西元 1277年～西元 1367年
明	西元 1368年～西元 1643年
清	西元 1644年～西元 1911年
中華民國	西元 1912年

國家圖書館出版品預行編目資料

全新吳姐姐講歷史故事. 22. 南宋 — /吳涵碧 著.
--初版.--臺北市；皇冠，1995〔民84〕
面；公分（皇冠叢書；第2488種）
ISBN 978-957-33-1232-1 （平裝）
1. 中國歷史

610.9 84007239

皇冠叢書第2488種
第二十二集【南宋】
全新吳姐姐講歷史故事〔注音本〕

作　者—吳涵碧
繪　圖—劉建志
發 行 人—平雲
出版發行—皇冠文化出版有限公司
台北市敦化北路120巷50號
電話◎02-27168888
郵撥帳號◎15261516號
皇冠出版社(香港)有限公司
香港銅鑼灣道180號百樂商業中心
19字樓1903室
電話◎2529-1778　傳真◎2527-0904
印　務—林佳燕
校　對—皇冠校對組
著作完成日期—1992年01月01日
香港發行日期—1995年09月25日
初版一刷日期—1995年10月01日
初版二十九刷日期—2021年05月
法律顧問—王惠光律師

讀者服務傳真專線◎02-27150507
電腦編號◎350022
ISBN◎978-957-33-1232-1
Printed in Taiwan
本書定價◎新台幣150元/港幣45元